초등 수학 전문가가 만든 연산 교재

원리셈

3

2학년

세 수의 덧셈과 뺄셈

1주차	세 수의 덧셈	9
2주차	세 수의 뺄셈	25
3주차	세 수의 덧셈과 뺄셈	41
4주차	도전! 계산왕	57
5주차	순서 바꾸어 계산하기	69
6주차	도전! 계산왕	85

교과 과정 완벽 대비
수학 전문가가 만든 **연산 교재**
다양한 형태의 문제로 재미있게 연습하는 **원리셈**

지은이의 말

수학은 원리로부터

수학은 구체물의 관계를 숫자와 기호의 약속으로 나타내는 추상적인 학문입니다. 이 점이 아이들이 수학을 어려워하는 가장 큰 이유입니다. 이러한 수학은 제대로 된 이해를 동반할 때 비로소 힘을 발휘할 수 있습니다. 수학은 어느 단계에서나 원리가 가장 중요합니다.

수학 교육의 변화

답을 내는 방법만 알아도 되는 수학 교육의 시대는 지나고 있습니다. 연산도 한 가지 방법만 반복 연습하기 보다 다양한 풀이 방법이 중요합니다. 교과서는 왜 그렇게 해야 하는지 가르쳐 주고 다양한 방법을 생각하도록 하지만, 학생들은 단순하게 반복되는 연습에 원리는 잊어버리고 기계적으로 답을 내다보니 응용된 내용의 이해가 부족합니다.

연산 학습은 꾸준히

유초등 학습 단계에 따라 4권~6권의 구성으로 매일 10분씩 꾸준히 공부할 수 있습니다. 원리와 다양한 방법의 학습은 그림과 함께 재미있게, 연습은 다양하게 진행하되 마무리는 집중하여 진행하도록 했습니다. 부담 없는 하루 학습량으로 꾸준히 공부하다 보면 어느새 연산 실력이 부쩍 늘어난 것을 알 수 있습니다.

개정판 원리셈은

동영상 강의 확대/초등 고학년 원리 학습 과정 강화 등으로 교과 과정을 완벽하게 대비할 수 있도록 원리와 개념, 계산 방법을 학습합니다. 단계별 원리 학습은 물론이고 연습도 강화했습니다.

학부모님들의 연산 학습에 대한 고민이 원리셈으로 해결되었으면 하는 바람입니다.

지은이 천종현

원리셈의 특징

원리셈의 학습 구성

한 권의 책은 매일 10분 / 매주 5일 / 6주 학습

원리셈의 시나브로 강해지는 학습 알고리즘

초등 원리셈은

01 원리 이해 → 02 다양한 계산 방법 → 03 충분한 연습 → 04 성취도 확인

시작은 원리의 이해로부터, 마무리는 충분한 연습과 성취도 확인까지

체계적인 학습 구성

쉽게 이해하고 스스로 공부!
실수가 많은 부분은 별도로 확인하고 연습!
주제에 따라 실전을 위한 확장적 사고가 필요한 내용까지!
원리로 시작되는 단계별 학습으로 곱셈구구마저 저절로 외워진다고 느끼도록!

원리셈 전체 단계

키즈 원리셈

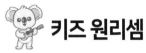

5·6세	
1권	5까지의 수
2권	10까지의 수
3권	10까지의 수 세어 쓰기
4권	모아 세기
5권	빼어 세기
6권	크기 비교와 여러 가지 세기

6·7세	
1권	10까지의 더하기 빼기 1
2권	10까지의 더하기 빼기 2
3권	10까지의 더하기 빼기 3
4권	20까지의 더하기 빼기 1
5권	20까지의 더하기 빼기 2
6권	20까지의 더하기 빼기 3

7·8세	
1권	7까지의 모으기와 가르기
2권	9까지의 모으기와 가르기
3권	덧셈과 뺄셈
4권	10 가르기와 모으기
5권	10 만들어 더하기
6권	10 만들어 빼기

초등 원리셈

1학년	
1권	받아올림/내림 없는 두 자리 수 덧셈, 뺄셈
2권	덧셈구구
3권	뺄셈구구
4권	□ 구하기
5권	세 수의 덧셈과 뺄셈
6권	(두 자리 수)±(한 자리 수)

2학년	
1권	두 자리 수 덧셈
2권	두 자리 수 뺄셈
3권	세 수의 덧셈과 뺄셈
4권	곱셈
5권	곱셈구구
6권	나눗셈

3학년	
1권	세 자리 수의 덧셈과 뺄셈
2권	(두/세 자리 수)×(한 자리 수)
3권	(두/세 자리 수)×(두 자리 수)
4권	(두/세 자리 수)÷(한 자리 수)
5권	곱셈과 나눗셈의 관계
6권	분수

4학년	
1권	큰 수의 곱셈
2권	큰 수의 나눗셈
3권	분모가 같은 분수의 덧셈과 뺄셈
4권	소수의 덧셈과 뺄셈

5학년	
1권	혼합 계산
2권	약수와 배수
3권	분모가 다른 분수의 덧셈과 뺄셈
4권	분수와 소수의 곱셈

6학년	
1권	분수의 나눗셈
2권	소수의 나눗셈
3권	비와 비율
4권	비례식과 비례배분

초등 원리셈의 단계별 학습 목표

원리와 연습을 모두 잡는 원리셈!!

학년별 학습 목표와 다른 책에서는 만나기 힘든 특별한 내용을 확인해 보세요.

1학년 원리셈

모든 연산 과정 중 실수가 가장 많은 덧셈, 뺄셈의 집중 연습
여러 가지 계산 방법 알기
덧셈, 뺄셈의 관계를 이용한 '□ 구하기'의 이해

2학년 원리셈

두 자리 덧셈, 뺄셈의 여러 가지 계산 방법의 숙지와 이해
곱셈 개념을 폭넓게 이해하고, 곱셈구구를 힘들지 않게 외울 수 있는 구성
나눗셈은 3학년 교과의 내용이지만 곱셈구구를 외우는 것을 도우면서 곱셈구구의 범위에서 개념 위주 학습

3학년 원리셈

기본 연산은 정확한 이해와 충분한 연습
곱셈, 나눗셈의 관계를 이용한 '□ 구하기'의 이해
분수는 학생들이 어려워 하는 부분을 중점적으로 이해하고, 연습하도록 구성

4학년 원리셈

작은 수의 곱셈, 나눗셈 방법을 확장하여 이해하는 큰 수의 곱셈, 나눗셈
교과서에는 나오지 않는 실전적 연산을 포함
많이 틀리는 내용은 별도 집중학습

5학년 원리셈

연산은 개념과 유형에 따라 단계적으로 학습 후 충분한 연습
약수와 배수는 기본기를 단단하게 할 수 있는 체계적인 구성

6학년 원리셈

분수와 소수의 나눗셈은 원리를 단순화하여 이해
비의 개념을 확장하여 문장제 문제 등에서 만나는 비례 관계의 이해와 적용
비와 비례식은 중등 수학을 대비하는 의미도 포함. 강추 교재!!

2학년 구성과 특징

1권~3권에서 두 자리 수 덧셈과 뺄셈, 4권~6권에서는 곱셈과 나눗셈의 개념을 공부합니다. 덧셈과 뺄셈은 원리를 이용한 여러 가지 가로셈의 계산과 속도를 위한 세로셈의 계산을 다양한 형태로 적절히 배분하였습니다. 나눗셈은 3학년 내용이지만 6권에서 나눗셈의 개념을 활용하여 곱셈구구의 연습이 되도록 구성했습니다.

원리

수 모형, 동전 등을 이용하여 원리를 직관적으로 이해하고 쉽게 공부할 수 있도록 하였습니다.

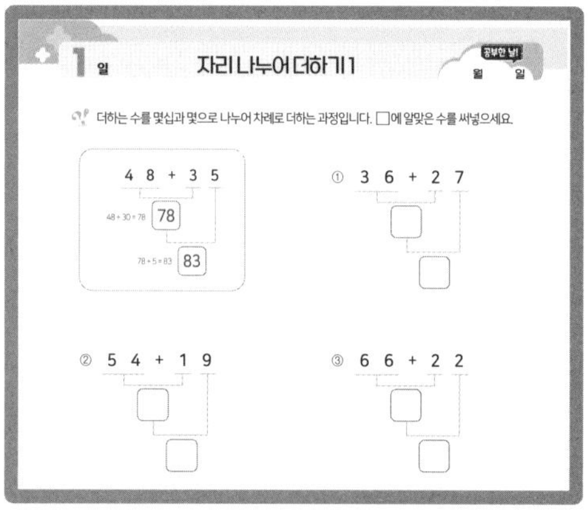

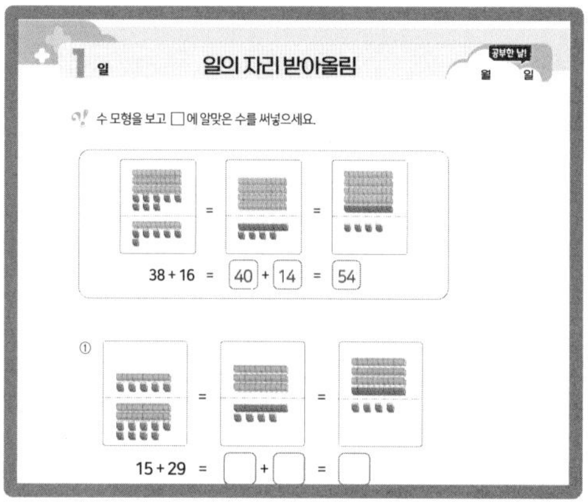

다양한 계산 방법

다양한 계산 방법을 공부함으로써 수를 다루는 감각을 키우고, 상황에 따라 더 정확하고 빠른 계산을 할 수 있도록 하였습니다.

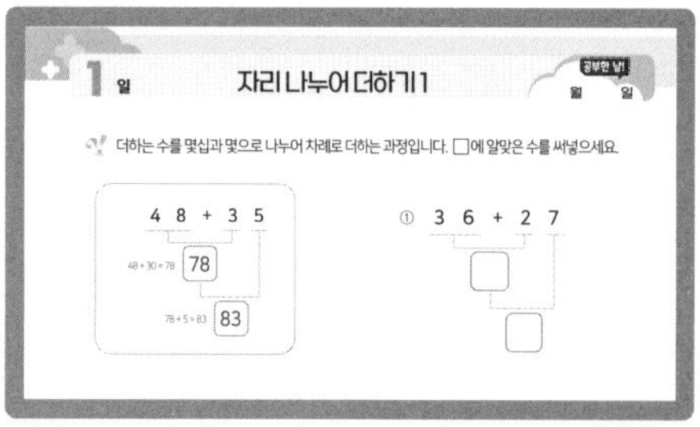

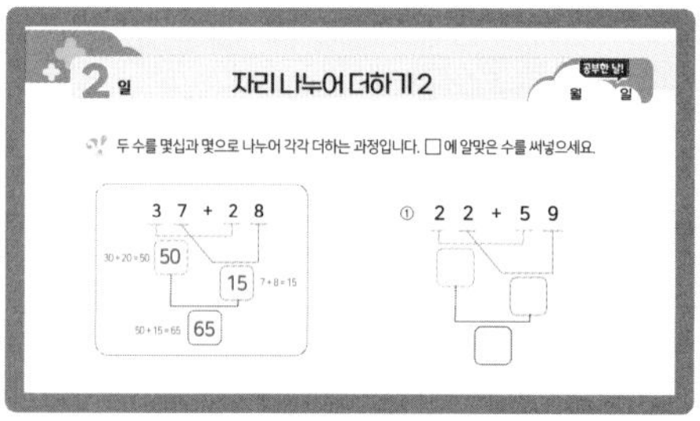

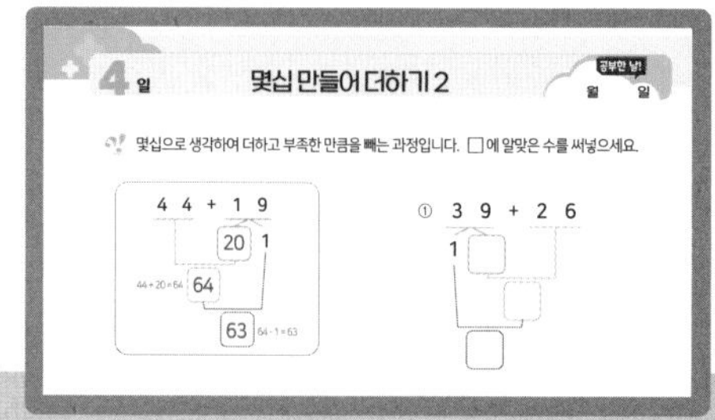

연습

학습 순서를 원리를 생각하며 연습할 수 있도록 배치하였고, 이해를 도울 수 있는 소재 및 그림과 함께 연습한 후, 숫자와 기호로 된 문제도 꾸준히 반복할 수 있도록 하였습니다

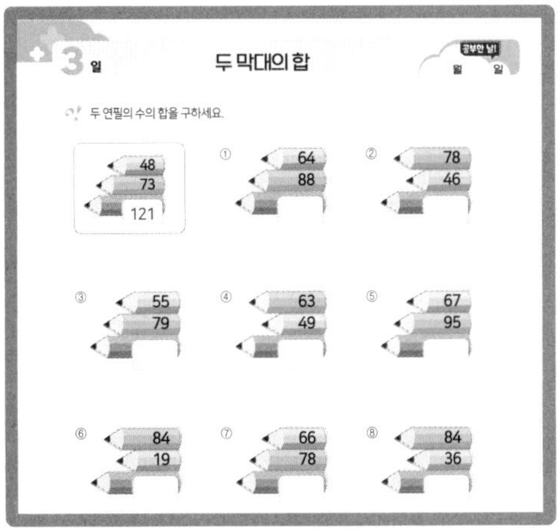

3일 두 막대의 합

공부한 날! 월 일

두 연필의 수의 합을 구하세요.

48 73 121 / ① 64 88 / ② 78 46

③ 55 79 / ④ 63 49 / ⑤ 67 95

⑥ 84 19 / ⑦ 66 78 / ⑧ 84 36

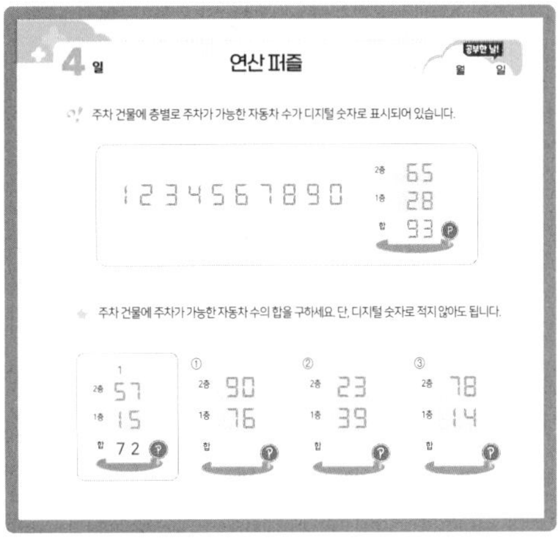

4일 연산 퍼즐

공부한 날! 월 일

주차 건물에 층별로 주차가 가능한 자동차 수가 디지털 숫자로 표시되어 있습니다.

1 2 3 4 5 6 7 8 9 0 / 2층 65 / 1층 28 / 합 93

주차 건물에 주차가 가능한 자동차 수의 합을 구하세요. 단, 디지털 숫자로 적지 않아도 됩니다.

2층 57 1층 15 합 72 / ① 2층 90 1층 76 합 / ② 2층 23 1층 39 합 / ③ 2층 78 1층 14 합

도전! 계산왕

주제가 구분되는 두 개의 단원은 정확성과 빠른 계산을 위한 집중 연습으로 주제를 마무리 합니다.

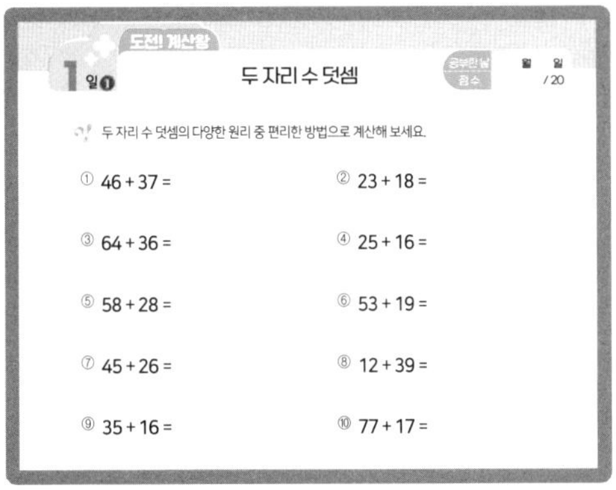

도전! 계산왕 1일❶ 두 자리 수 덧셈

공부한 날 월 일 점수 /20

두 자리 수 덧셈의 다양한 원리 중 편리한 방법으로 계산해 보세요.

① 46 + 37 = ② 23 + 18 =

③ 64 + 36 = ④ 25 + 16 =

⑤ 58 + 28 = ⑥ 53 + 19 =

⑦ 45 + 26 = ⑧ 12 + 39 =

⑨ 35 + 16 = ⑩ 77 + 17 =

성취도 평가

개념의 이해와 연산의 수행에 부족한 부분은 없는지 성취도 평가를 통해 확인합니다.

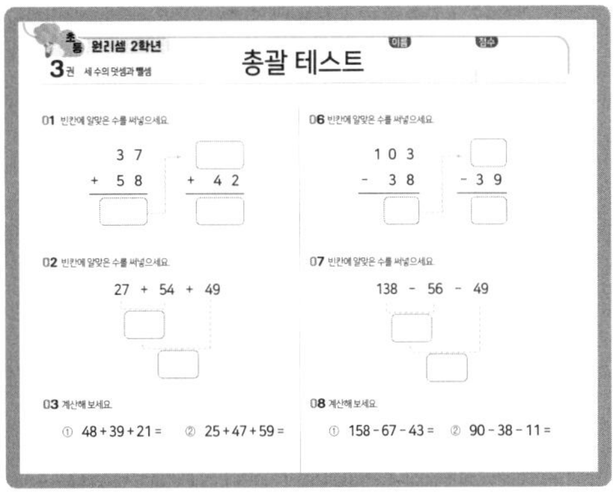

원리셈 2학년 3권 세 수의 덧셈과 뺄셈 총괄 테스트 이름 점수

01 빈칸에 알맞은 수를 써넣으세요. 37 + 58 + 42

06 빈칸에 알맞은 수를 써넣으세요. 103 - 38 - 39

02 빈칸에 알맞은 수를 써넣으세요. 27 + 54 + 49

07 빈칸에 알맞은 수를 써넣으세요. 138 - 56 - 49

03 계산해 보세요. ① 48 + 39 + 21 = ② 25 + 47 + 59 =

08 계산해 보세요. ① 158 - 67 - 43 = ② 90 - 38 - 11 =

원리셈 100% 활용하기

✓ 책의 사이사이에 학생의 학습을 돕기 위한 저자의 내용을 잘 이용하세요.

단원의 학습 내용과 방향

한 주차가 시작되는 쪽의 아래에 그 단원의 학습 내용과 어떤 방향으로 공부하는지를 설명해 놓았습니다.
학부모님이나 학생이 단원을 시작하기 전에 가볍게 읽어 보고 공부하도록 해 주세요.

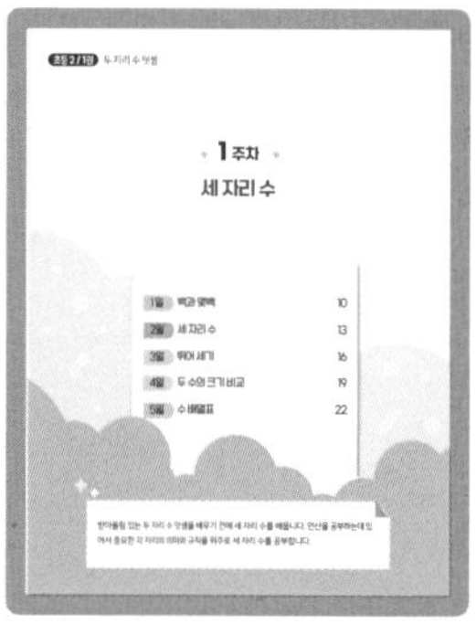

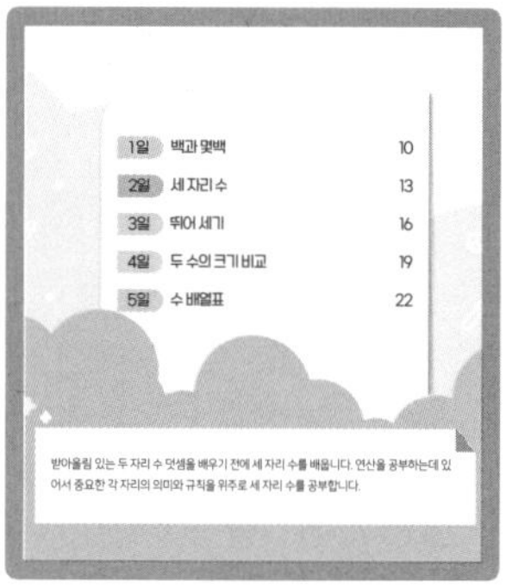

이해를 돕는 저자의 동영상 강의

처음 접하는 원리/개념과 연산 방법의 이해를 돕기 위한 동영상 강의가 있으니 이해가 어려운 내용은 QR코드를 이용하여 편리하게 동영상 강의를 보고, 공부하도록 하세요.

학습 동영상

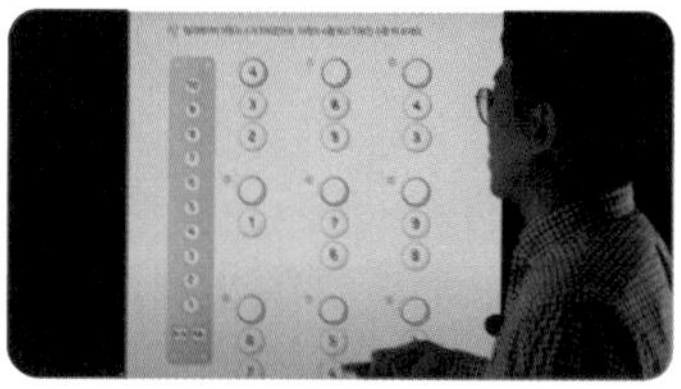

학습 Tip

간략한 도움글은 각 쪽의 아래에 있습니다.

천종현수학연구소 네이버 카페와 홈페이지를 활용하세요.

카페와 홈페이지에는 추가 문제 자료가 있고, 연산 외에서 수학 학습에 어려움을 상담 받을 수 있습니다.

네이버에서 천종현수학연구소를 검색하세요.

1주차

세 수의 덧셈

1일 차례로 더하기 10

2일 더하고 더하기 13

3일 같은 자리끼리 한꺼번에 더하기 16

4일 연산 퍼즐 19

5일 문장제 21

두 자리의 세 수의 덧셈을 공부합니다. 앞에서부터 순서대로 계산하도록 하였고, 새로운 원리를 공부하기보다는 두 자리 수 덧셈의 연습이 되는 내용입니다.

차례로 더하기

공부한 날! 월 일

□에 알맞은 수를 써넣으세요.

① $48 + 23 = \square$ → $\square + 56 = \square$

② $37 + 22 = \square$ → $\square + 11 = \square$

③ $63 + 12 = \square$ → $\square + 37 = \square$

④ $26 + 58 = \square$ → $\square + 63 = \square$

⑤ $22 + 25 = \square$ → $\square + 34 = \square$

⑥ $49 + 31 = \square$ → $\square + 53 = \square$

⑦ $32 + 54 = \square$ → $\square + 28 = \square$

⑧ $23 + 41 = \square$ → $\square + 22 = \square$

□에 알맞은 수를 써넣으세요.

① 26 + 37 = □ → □ + 45 = □

② 29 + 63 = □ → □ + 27 = □

③ 74 + 12 = □ → □ + 16 = □

④ 66 + 14 = □ → □ + 57 = □

⑤ 77 + 21 = □ → □ + 78 = □

⑥ 26 + 73 = □ → □ + 57 = □

⑦ 69 + 17 = □ → □ + 25 = □

⑧ 57 + 14 = □ → □ + 51 = □

□에 알맞은 수를 써넣으세요.

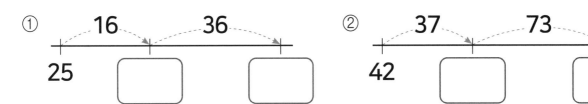

① 16, 36
25 → □ → □

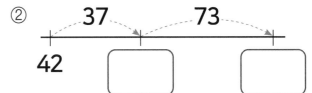

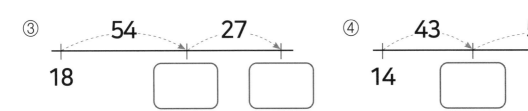

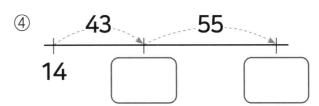

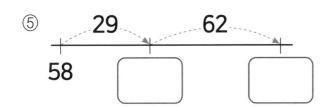

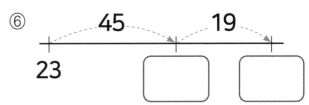

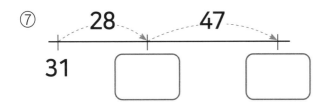

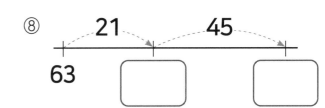

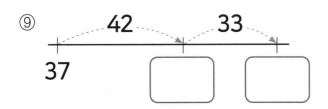

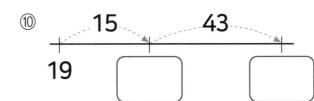

② 37, 73
42 → □ → □

③ 54, 27
18 → □ → □

④ 43, 55
14 → □ → □

⑤ 29, 62
58 → □ → □

⑥ 45, 19
23 → □ → □

⑦ 28, 47
31 → □ → □

⑧ 21, 45
63 → □ → □

⑨ 42, 33
37 → □ → □

⑩ 15, 43
19 → □ → □

더하고 더하기

세 수의 합을 구하세요.

① 14 + 63 + 47

② 28 + 39 + 65

③ 57 + 24 + 16

④ 53 + 18 + 28

⑤ 35 + 19 + 68

⑥ 72 + 23 + 52

⑦ 18 + 63 + 39

⑧ 31 + 55 + 27

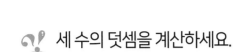

세 수의 덧셈을 계산하세요.

① $16 + 57 + 21 =$

73

② $38 + 29 + 41 =$

③ $53 + 28 + 16 =$

④ $11 + 73 + 19 =$

⑤ $44 + 32 + 64 =$

⑥ $35 + 16 + 53 =$

⑦ $49 + 36 + 51 =$

⑧ $28 + 61 + 15 =$

⑨ $35 + 17 + 69 =$

⑩ $66 + 14 + 83 =$

⑪ $28 + 27 + 12 =$

⑫ $41 + 37 + 56 =$

⑬ $58 + 27 + 35 =$

⑭ $14 + 38 + 43 =$

⑮ $47 + 16 + 59 =$

⑯ $36 + 27 + 67 =$

◯의 합을 △ 안에 써넣으세요.

(보기) 16, 58, 42 → 116

① 35, 62, 19

② 25, 38, 47

③ 29, 56, 37

④ 37, 23, 52

⑤ 93, 47, 26

⑥ 19, 49, 26

⑦ 46, 14, 53

⑧ 36, 17, 51

⑨ 16, 29, 62

⑩ 38, 27, 44

⑪ 45, 19, 63

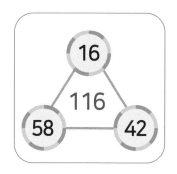

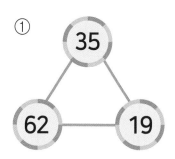

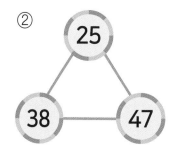

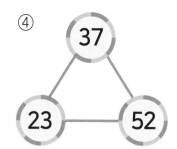

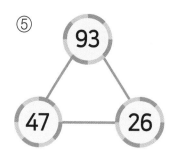

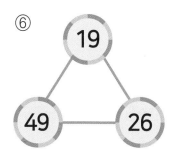

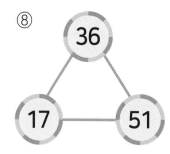

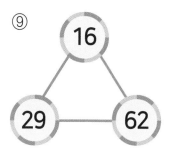

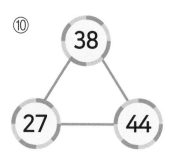

세로셈을 계산하세요.

$$\begin{array}{r} 46 \\ 17 \\ +\ 58 \\ \hline \square\square\square \end{array} \rightarrow \begin{array}{r} {}^{2}\ \ \\ 46 \\ 17 \\ +\ 58 \\ \hline 1 \end{array} \rightarrow \begin{array}{r} {}^{2}\ \ \\ 46 \\ 17 \\ +\ 58 \\ \hline 121 \end{array}$$

6+7+8=21

2+4+1+5=12

① $\begin{array}{r} 63 \\ 27 \\ +\ 33 \\ \hline \end{array}$

② $\begin{array}{r} 26 \\ 43 \\ +\ 19 \\ \hline \end{array}$

③ $\begin{array}{r} 43 \\ 54 \\ +\ 27 \\ \hline \end{array}$

④ $\begin{array}{r} 38 \\ 64 \\ +\ 19 \\ \hline \end{array}$

⑤ $\begin{array}{r} 28 \\ 97 \\ +\ 47 \\ \hline \end{array}$

⑥ $\begin{array}{r} 38 \\ 27 \\ +\ 38 \\ \hline \end{array}$

⑦ $\begin{array}{r} 59 \\ 62 \\ +\ 34 \\ \hline \end{array}$

⑧ $\begin{array}{r} 17 \\ 85 \\ +\ 26 \\ \hline \end{array}$

⑨ $\begin{array}{r} 11 \\ 32 \\ +\ 51 \\ \hline \end{array}$

⑩ $\begin{array}{r} 55 \\ 34 \\ +\ 67 \\ \hline \end{array}$

⑪ $\begin{array}{r} 39 \\ 13 \\ +\ 79 \\ \hline \end{array}$

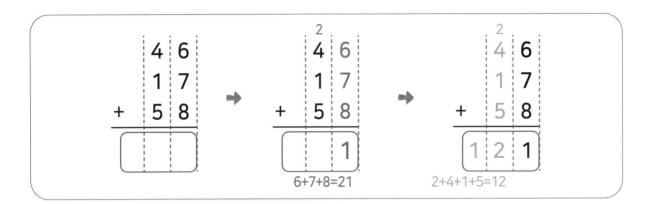

⑫ $\begin{array}{r} 27 \\ 58 \\ +\ 44 \\ \hline \end{array}$

세로셈을 계산하세요.

① 43 + 61 + 28 = □

$$\begin{array}{r} 43 \\ 61 \\ +\ 28 \\ \hline \end{array}$$

②

$$\begin{array}{r} 23 \\ 18 \\ +\ 27 \\ \hline \end{array}$$

③

$$\begin{array}{r} 56 \\ 53 \\ +\ 27 \\ \hline \end{array}$$

④

$$\begin{array}{r} 35 \\ 47 \\ +\ 27 \\ \hline \end{array}$$

⑤

$$\begin{array}{r} 46 \\ 16 \\ +\ 28 \\ \hline \end{array}$$

⑥

$$\begin{array}{r} 14 \\ 59 \\ +\ 39 \\ \hline \end{array}$$

⑦

$$\begin{array}{r} 14 \\ 53 \\ +\ 13 \\ \hline \end{array}$$

⑧

$$\begin{array}{r} 36 \\ 55 \\ +\ 29 \\ \hline \end{array}$$

⑨

$$\begin{array}{r} 46 \\ 47 \\ +\ 41 \\ \hline \end{array}$$

⑩

$$\begin{array}{r} 88 \\ 34 \\ +\ 59 \\ \hline \end{array}$$

⑪

$$\begin{array}{r} 26 \\ 33 \\ +\ 15 \\ \hline \end{array}$$

⑫

$$\begin{array}{r} 81 \\ 46 \\ +\ 57 \\ \hline \end{array}$$

⑬

$$\begin{array}{r} 69 \\ 13 \\ +\ 12 \\ \hline \end{array}$$

⑭

$$\begin{array}{r} 25 \\ 74 \\ +\ 91 \\ \hline \end{array}$$

⑮

$$\begin{array}{r} 34 \\ 33 \\ +\ 19 \\ \hline \end{array}$$

⑯

$$\begin{array}{r} 73 \\ 29 \\ +\ 66 \\ \hline \end{array}$$

세로셈을 계산하세요.

① $\begin{array}{r} 61 \\ 29 \\ +\ 46 \\ \hline \square \end{array}$

② $\begin{array}{r} 15 \\ 32 \\ +\ 41 \\ \hline \square \end{array}$

③ $\begin{array}{r} 26 \\ 33 \\ +\ 19 \\ \hline \square \end{array}$

④ $\begin{array}{r} 17 \\ 43 \\ +\ 63 \\ \hline \square \end{array}$

⑤ $\begin{array}{r} 35 \\ 13 \\ +\ 17 \\ \hline \square \end{array}$

⑥ $\begin{array}{r} 52 \\ 77 \\ +\ 26 \\ \hline \square \end{array}$

⑦ $\begin{array}{r} 13 \\ 55 \\ +\ 92 \\ \hline \square \end{array}$

⑧ $\begin{array}{r} 59 \\ 45 \\ +\ 38 \\ \hline \square \end{array}$

⑨ $\begin{array}{r} 43 \\ 83 \\ +\ 27 \\ \hline \square \end{array}$

⑩ $\begin{array}{r} 21 \\ 28 \\ +\ 29 \\ \hline \square \end{array}$

⑪ $\begin{array}{r} 38 \\ 19 \\ +\ 26 \\ \hline \square \end{array}$

⑫ $\begin{array}{r} 27 \\ 52 \\ +\ 19 \\ \hline \square \end{array}$

⑬ $\begin{array}{r} 45 \\ 17 \\ +\ 17 \\ \hline \square \end{array}$

⑭ $\begin{array}{r} 99 \\ 35 \\ +\ 18 \\ \hline \square \end{array}$

⑮ $\begin{array}{r} 23 \\ 46 \\ +\ 74 \\ \hline \square \end{array}$

⑯ $\begin{array}{r} 36 \\ 15 \\ +\ 84 \\ \hline \square \end{array}$

연산 퍼즐

공부한 날! 월 일

동영상 해설

세 수의 합이 ◇ 안의 수가 되는 △를 모두 색칠해 보세요.

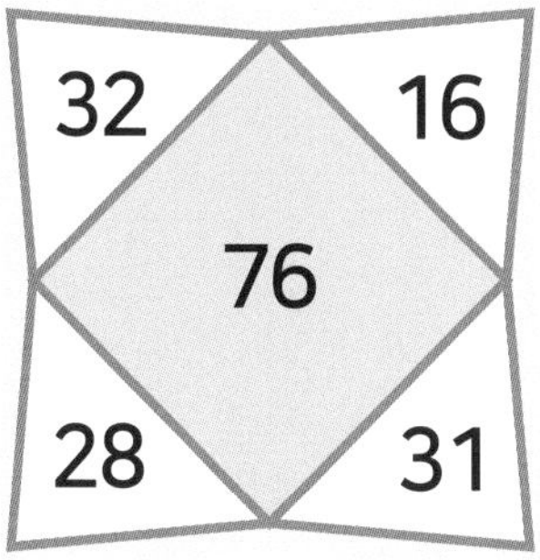

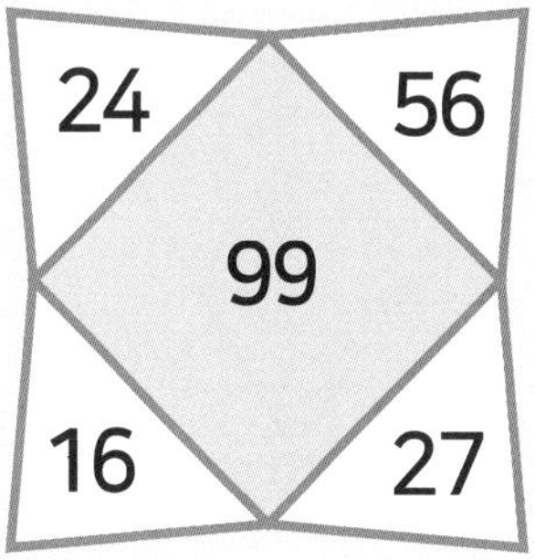

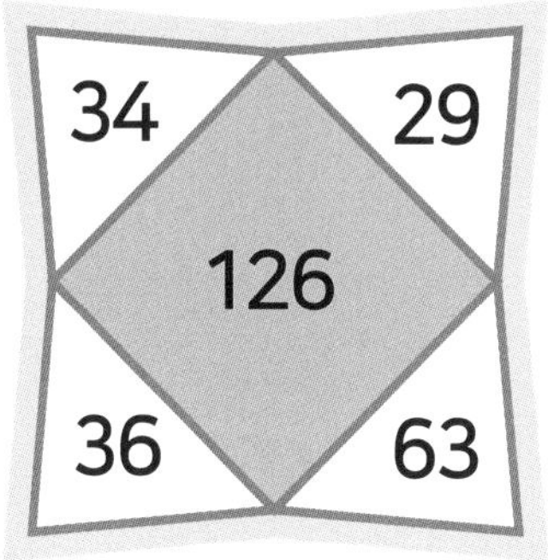

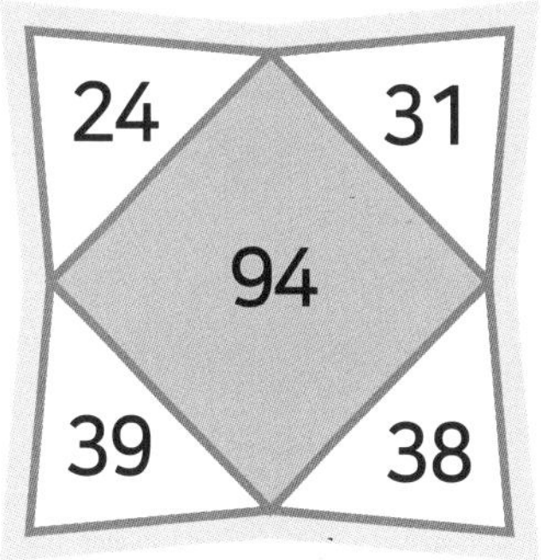

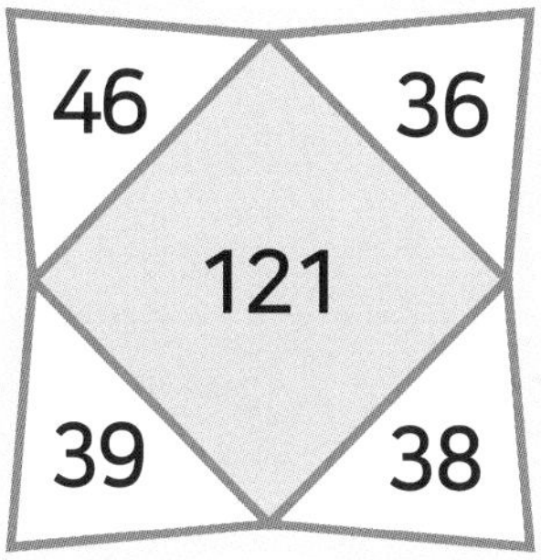

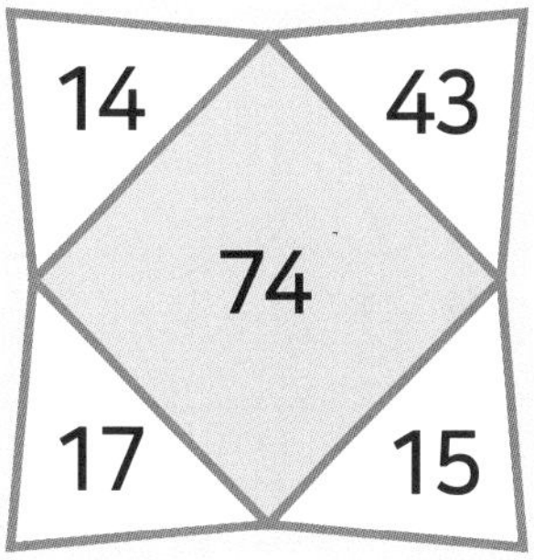

○의 수에 더해서 □가 되는 두 수를 지나는 선을 이어 보세요.

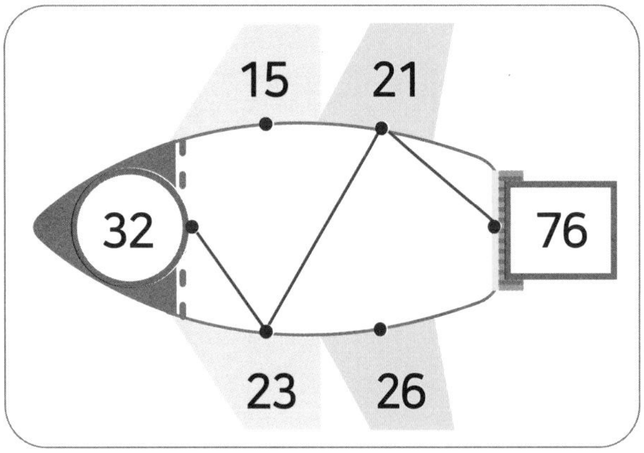

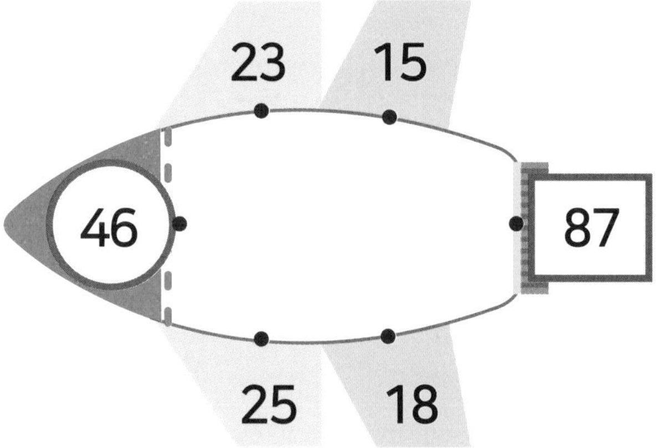

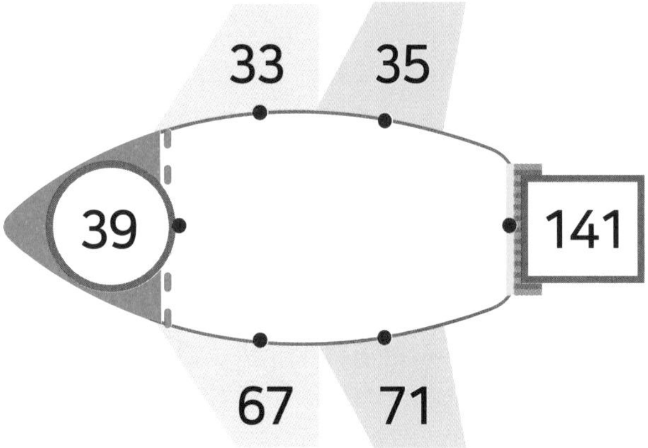

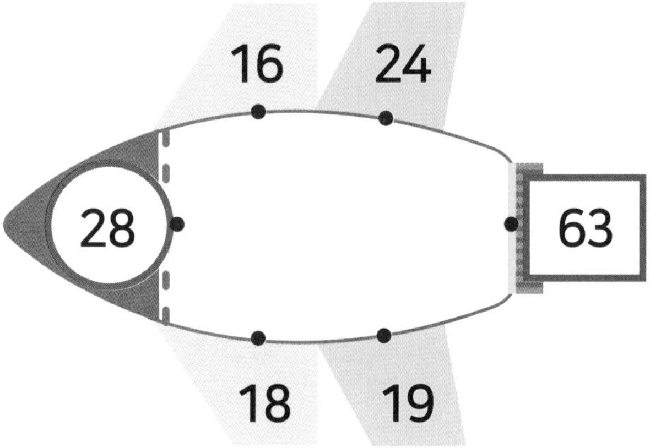

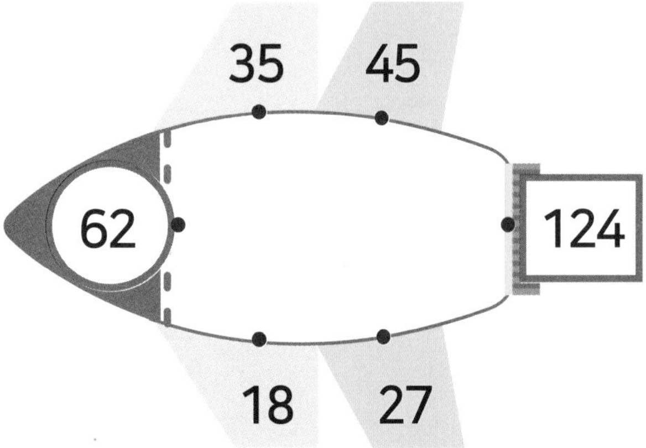

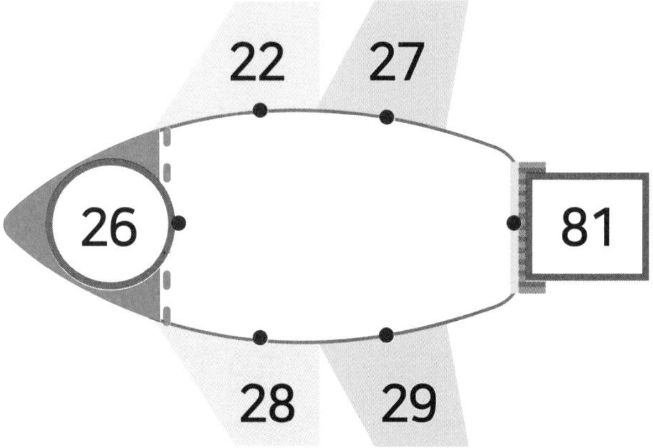

문장제

공부한 날! 월 일

글과 그림을 보고 물음에 알맞은 식을 세우고 답을 구하세요.

문구점에 빨간색 색연필 32자루, 파란색 색연필 24자루, 초록색 색연필 21자루, 검정색 색연필 45자루가 진열되어 있습니다.

★ 문구점에 진열되어 있는 빨간색, 파란색, 초록색 색연필은 모두 몇 자루일까요?

식 : 32 + 24 + 21 = 77 답 : 77 자루

① 문구점에 진열되어 있는 빨간색, 파란색, 검정색 색연필은 모두 몇 자루일까요?

식 : ______ 답 : ______ 자루

문제를 읽고 알맞은 식과 답을 써 보세요.

① 과일가게에서 사과 34개, 파인애플 26개, 감 45개를 진열해 놓았습니다. 팔아야 할 사과, 파인애플, 감은 모두 몇 개일까요?

식 : ______________________ 답 : ______ 개

② 민성이는 친구들에게 나눠주기 위해 빨간 색종이 52장, 파란 색종이 27장, 노란 색종이 22장을 구입하였습니다. 민성이가 구입한 색종이는 모두 몇 장일까요?

식 : ______________________ 답 : ______ 장

문제를 읽고 알맞은 식과 답을 써 보세요.

① 버스 3대에 각각 39명, 42명, 28명이 타고 있습니다. 버스 3대에 있는 사람들에게 빵 하나씩을 나눠주려면 모두 몇 개의 빵을 준비해야 할까요?

식 : ______________________ 답 : ______ 개

② 민수는 부모님과 함께 오이를 땄는데 민수는 19개, 아버지는 47개, 어머니는 31개를 땄습니다. 세 사람이 딴 오이는 모두 몇 개일까요?

식 : ______________________ 답 : ______ 개

③ 영민이는 35자루, 민수는 27자루의 연필을 가지고 있고, 영철이는 두 사람의 연필을 합친 것보다 16자루의 연필을 더 가지고 있습니다. 영철이가 가지고 있는 연필은 모두 몇 자루일까요?

식 : ______________________ 답 : ______ 자루

문제를 읽고 알맞은 식과 답을 써 보세요.

① 수빈이는 집에 있는 동화책 48권, 위인전 55권, 과학책 18권을 모두 읽었습니다. 수빈이가 읽은 동화책, 위인전, 과학책은 모두 몇 권일까요?

식 : ______________________ 답 : ______ 권

② 꽃밭에 카네이션이 12송이, 장미꽃이 35송이, 백합꽃이 68송이가 피어 있습니다. 꽃밭에 피어 있는 카네이션, 장미꽃, 백합꽃은 모두 몇 송이일까요?

식 : ______________________ 답 : ______ 송이

③ 민정이네 할아버지는 69살이고 아버지는 41살, 어머니는 38살입니다. 할아버지, 아버지, 어머니 나이의 합은 몇 살일까요?

식 : ______________________ 답 : ______ 살

2주차

세 수의 뺄셈

1일	차례로 빼기	26
2일	빼고 빼기	29
3일	사다리셈	32
4일	연산 퍼즐	34
5일	문장제	37

두 자리의 세 수의 뺄셈을 공부합니다. 앞에서부터 순서대로 계산하도록 하였고, 새로운 원리를 공부하기보다는 두 자리 수 뺄셈의 연습이 되는 내용입니다.

차례로 빼기

□에 알맞은 수를 써넣으세요.

① $125 - 37 = \square$ → $\square - 13 = \square$

② $65 - 24 = \square$ → $\square - 26 = \square$

③ $86 - 19 = \square$ → $\square - 44 = \square$

④ $124 - 55 = \square$ → $\square - 18 = \square$

⑤ $158 - 73 = \square$ → $\square - 26 = \square$

⑥ $98 - 27 = \square$ → $\square - 35 = \square$

⑦ $104 - 29 = \square$ → $\square - 57 = \square$

⑧ $111 - 58 = \square$ → $\square - 34 = \square$

□에 알맞은 수를 써넣으세요.

① $124 - 37 = \square$ → $\square - 65 = \square$

② $89 - 14 = \square$ → $\square - 37 = \square$

③ $75 - 22 = \square$ → $\square - 36 = \square$

④ $107 - 34 = \square$ → $\square - 47 = \square$

⑤ $177 - 91 = \square$ → $\square - 48 = \square$

⑥ $98 - 63 = \square$ → $\square - 27 = \square$

⑦ $67 - 37 = \square$ → $\square - 24 = \square$

⑧ $67 - 14 = \square$ → $\square - 41 = \square$

□에 알맞은 수를 써넣으세요.

①
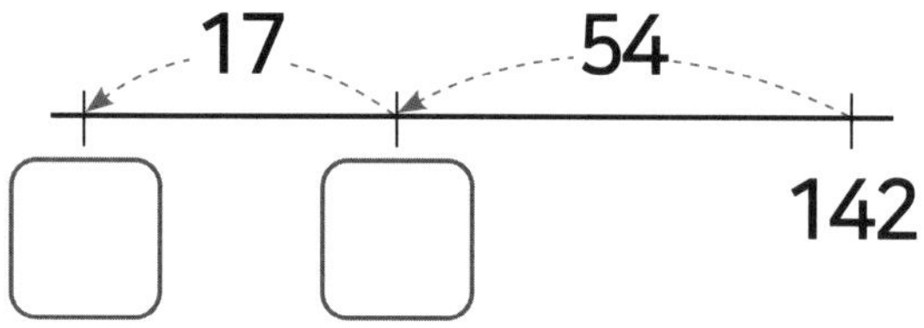

②
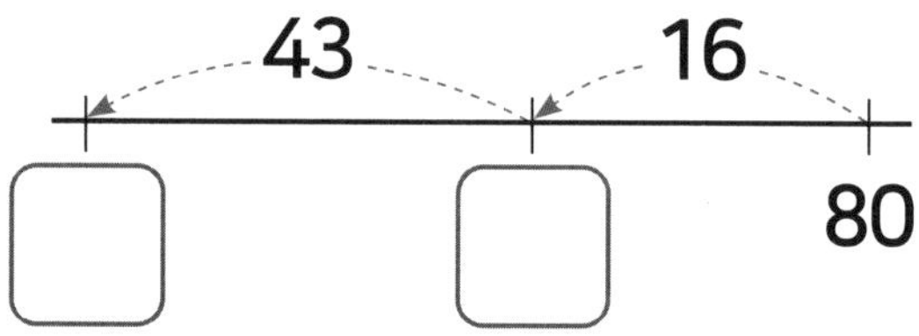

③
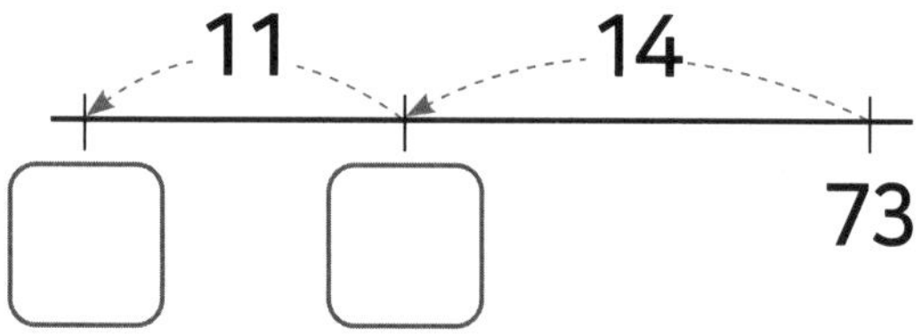

④
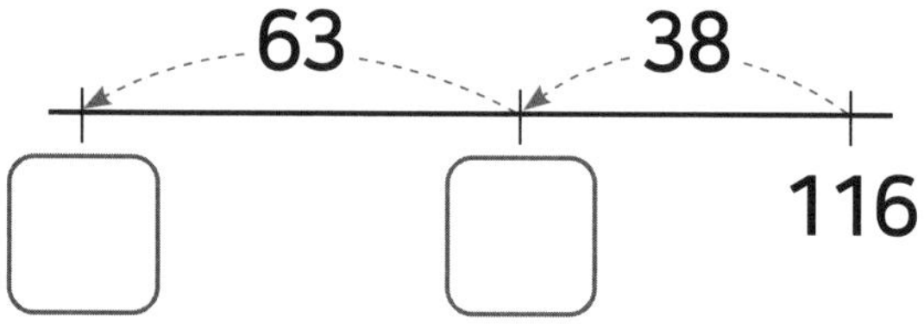

⑤
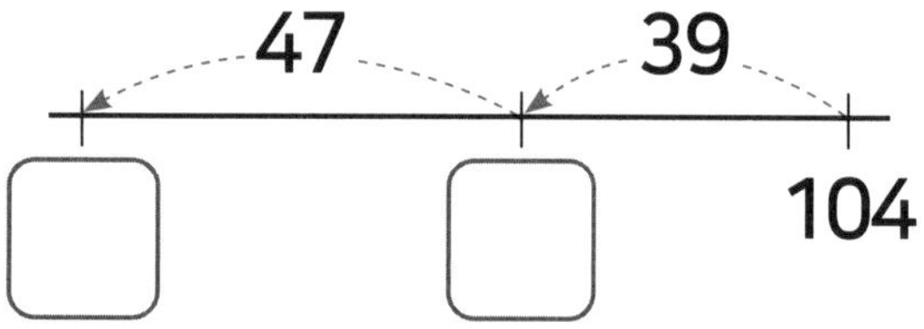

⑥
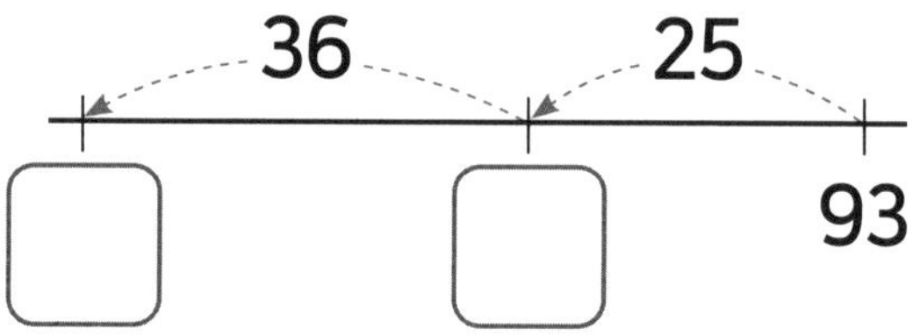

⑦
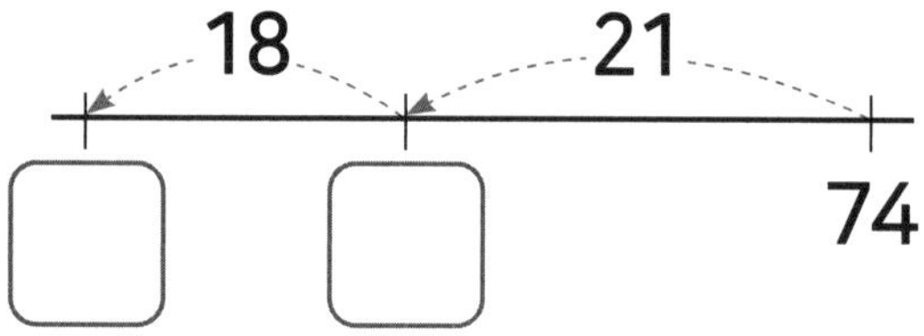

⑧
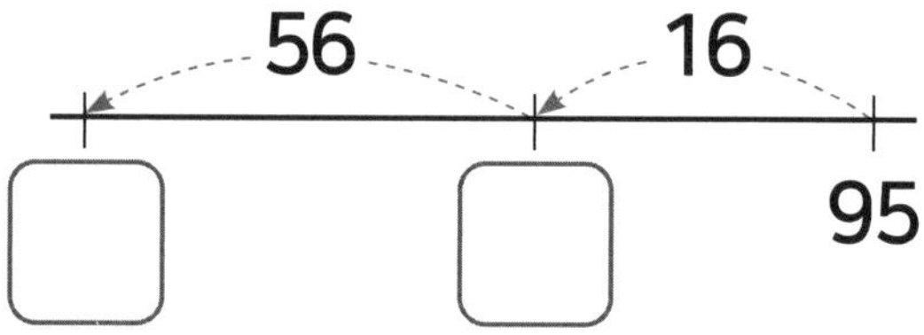

⑨
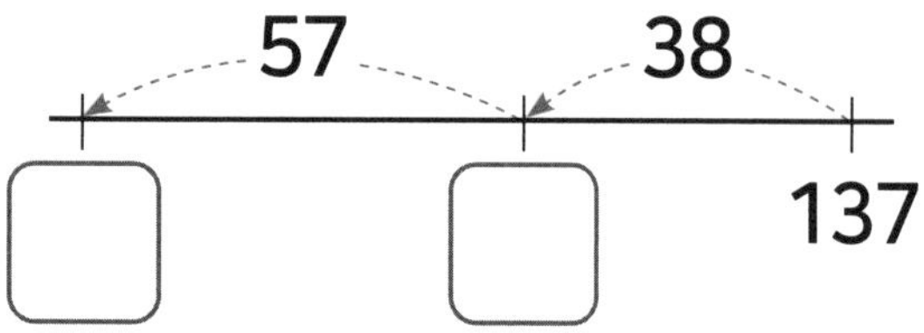

⑩
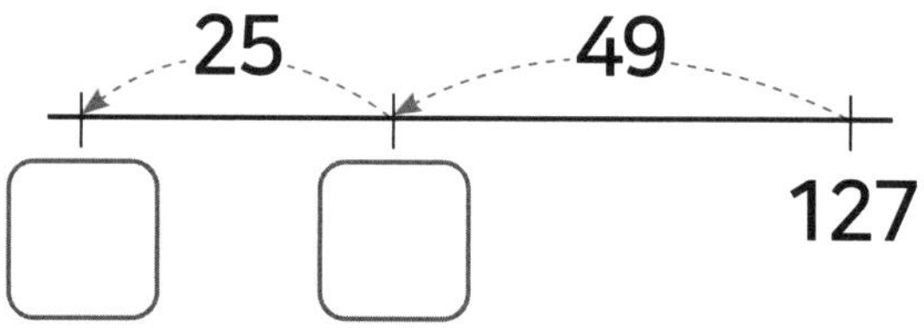

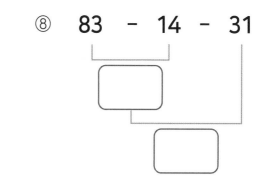

세 수의 뺄셈을 계산하세요.

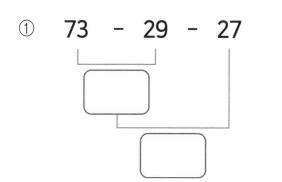

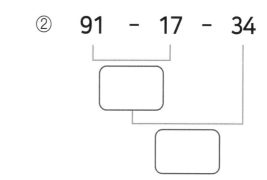

① 73 - 29 - 27

② 91 - 17 - 34

③ 107 - 48 - 34

④ 88 - 39 - 15

⑤ 90 - 14 - 48

⑥ 126 - 26 - 77

⑦ 117 - 36 - 59

⑧ 83 - 14 - 31

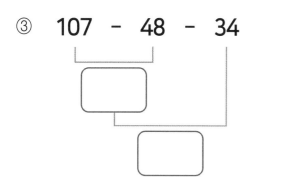

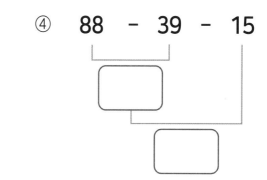

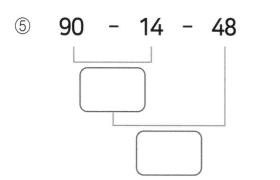

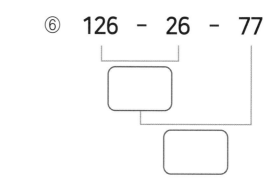

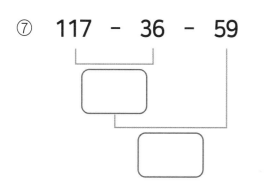

세 수의 뺄셈을 계산하세요.

① 129 - 47 - 33 =
(129 - 47 → 82)

② 89 - 16 - 23 =

③ 126 - 38 - 52 =

④ 94 - 28 - 43 =

⑤ 101 - 33 - 45 =

⑥ 156 - 78 - 14 =

⑦ 71 - 14 - 19 =

⑧ 130 - 54 - 27 =

⑨ 108 - 21 - 64 =

⑩ 123 - 36 - 46 =

⑪ 87 - 35 - 22 =

⑫ 90 - 28 - 11 =

⑬ 100 - 27 - 35 =

⑭ 126 - 38 - 66 =

⑮ 147 - 76 - 53 =

⑯ 136 - 27 - 67 =

빈 곳에 추의 무게를 써넣으세요.

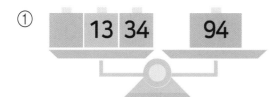

① □ 13 34 　 94

② □ 27 46 　 117

③ □ 25 17 　 89

④ □ 28 12 　 103

⑤ □ 46 38 　 123

⑥ □ 53 14 　 92

⑦ □ 69 53 　 148

⑧ □ 21 24 　 80

⑨ □ 14 29 　 78

⑩ □ 35 14 　 102

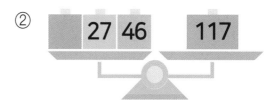

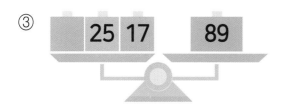

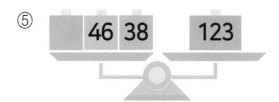

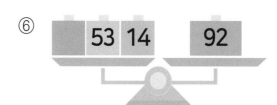

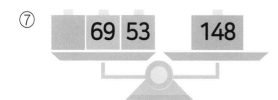

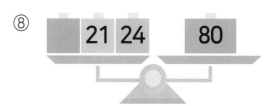

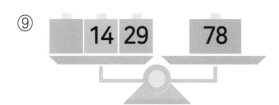

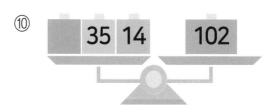

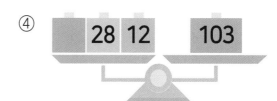

사다리셈

사다리를 타면서 계산하여 빈 곳에 알맞은 수를 써넣으세요.

①

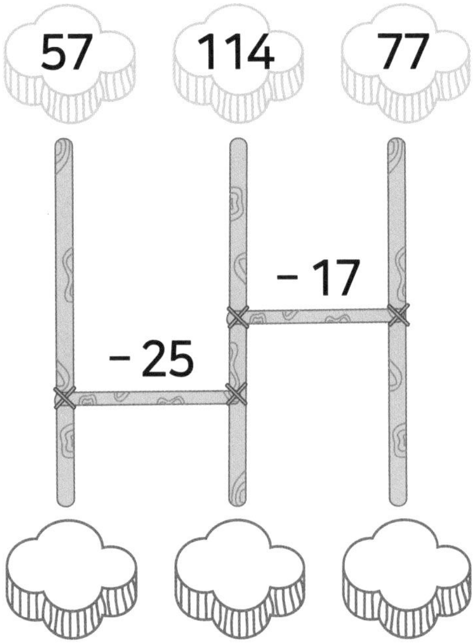

②

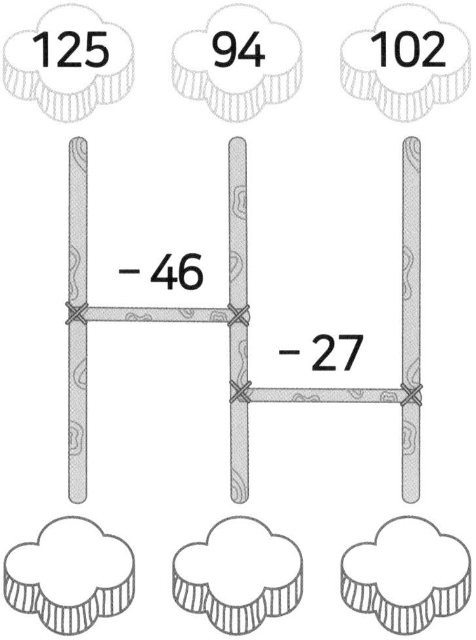

③

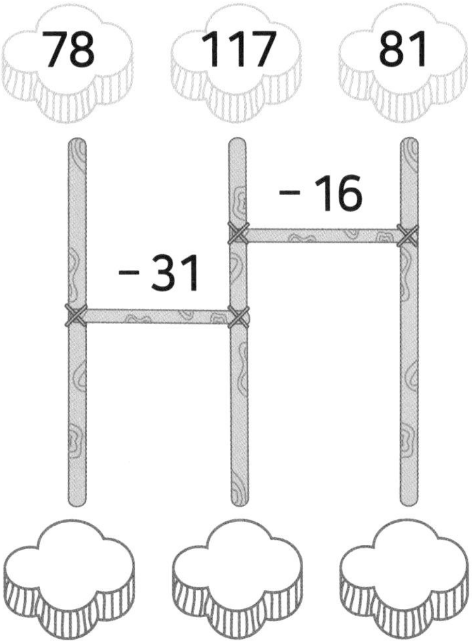

④

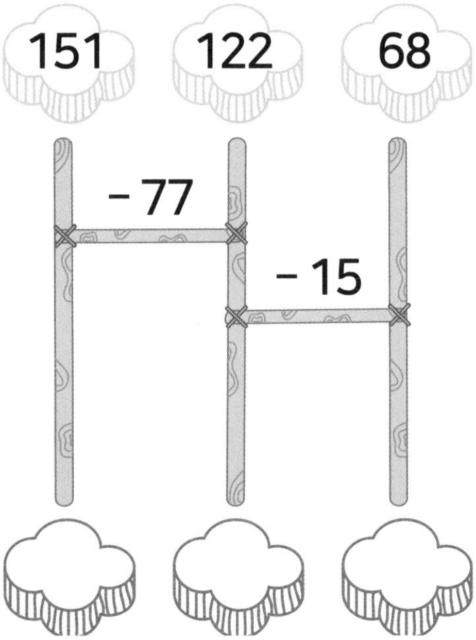

사다리를 타면서 계산하여 빈 곳에 알맞은 수를 써넣으세요.

①

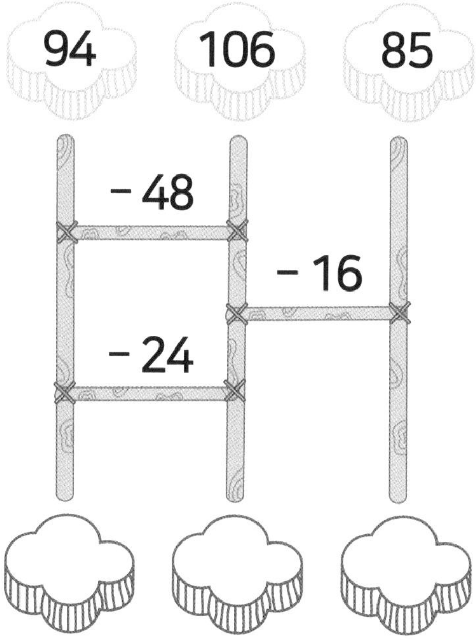

②

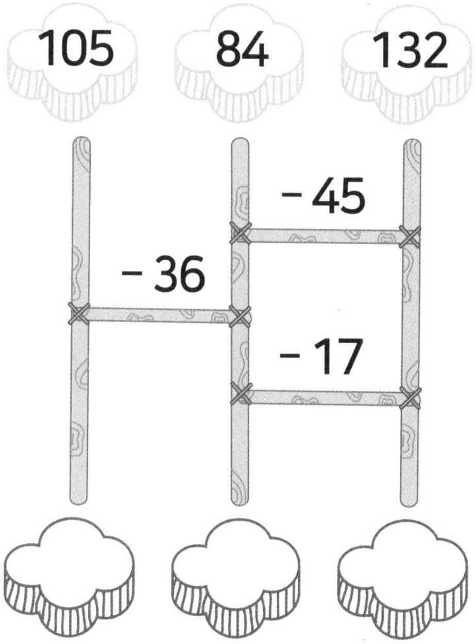

③

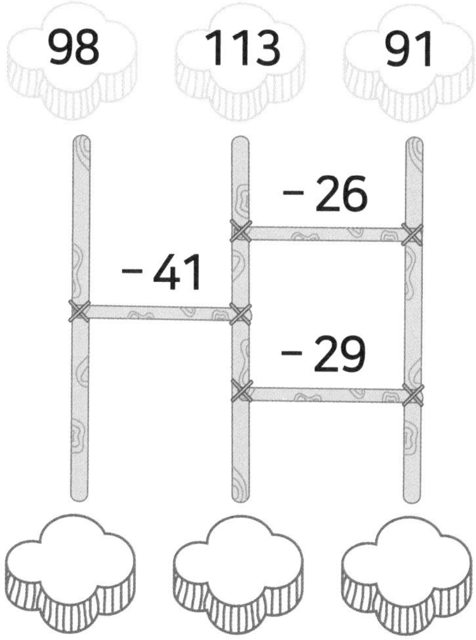

④

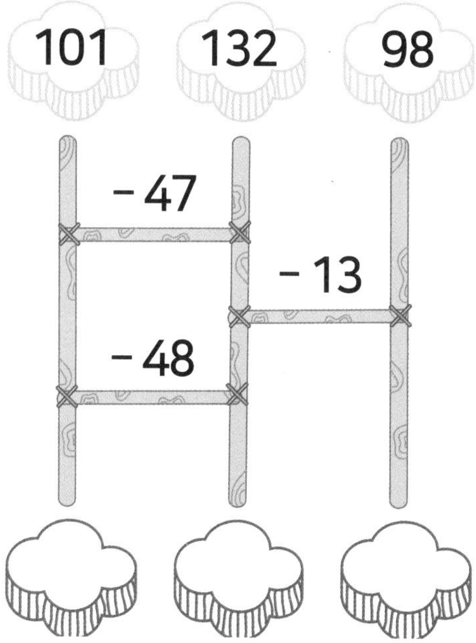

4일 연산 퍼즐

계산 결과에 알맞게 빈 곳에 들어갈 수 카드를 골라 써넣으세요.

동영상 해설

① 36 42 31

100 - □ - □ = 27

② 26 14 28

89 - □ - □ = 47

③ 68 57 17

124 - □ - □ = 39

④ 16 18 23

103 - □ - □ = 69

⑤ 36 35 34

93 - □ - □ = 23

⑥ 18 19 20

76 - □ - □ = 38

⑦ 49 39 29

117 - □ - □ = 39

⑧ 19 46 28

99 - □ - □ = 34

같은 위치의 수를 빼어서 아래의 표를 완성하세요.

125	97	87
68	85	92

−

46	14	27
15	25	31

−

34	24	34
17	21	34

125 - 46 - 34 = 45

=

45		

계산 결과에 알맞게 길을 그려 보세요.

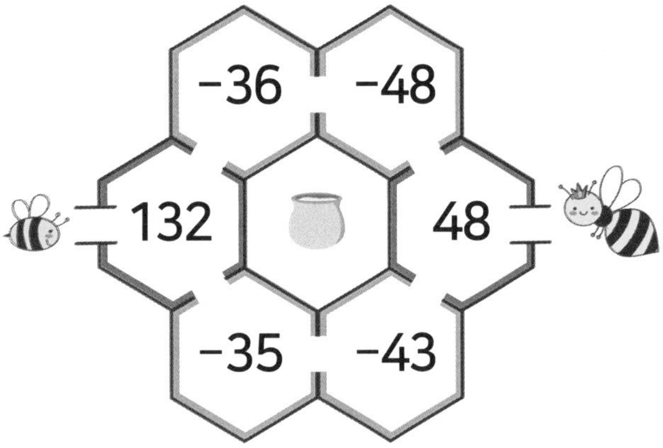

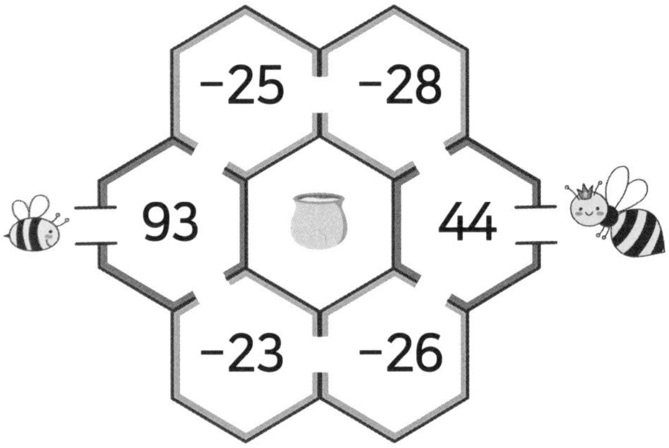

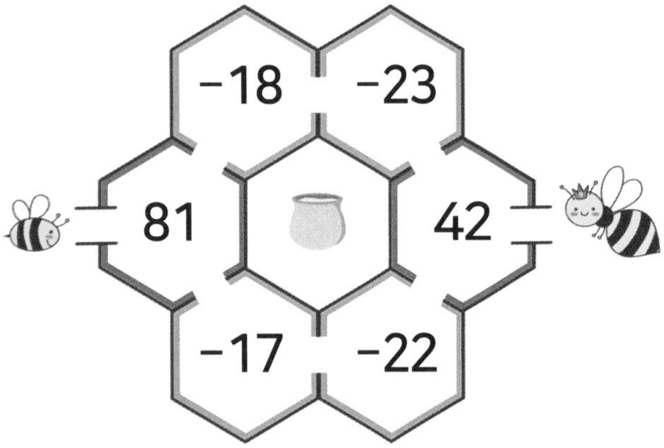

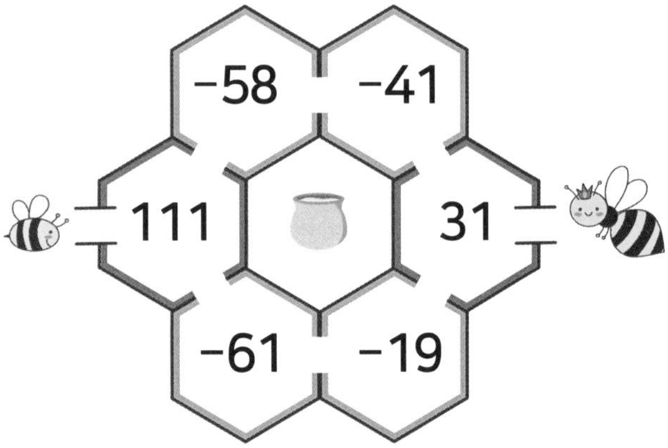

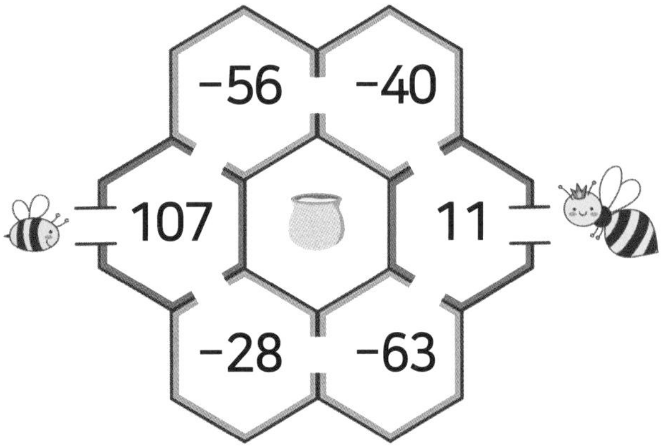

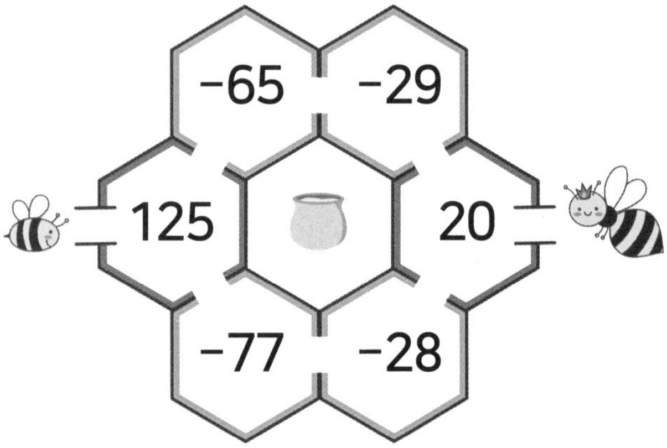

문장제

글과 그림을 보고 물음에 알맞은 식을 세우고 답을 구하세요.

선생님께서 75개의 사탕을 가지고 오셔서 선영이에게 17개, 미진이에게 24개, 철호에게 21개의 사탕을 주려고 합니다.

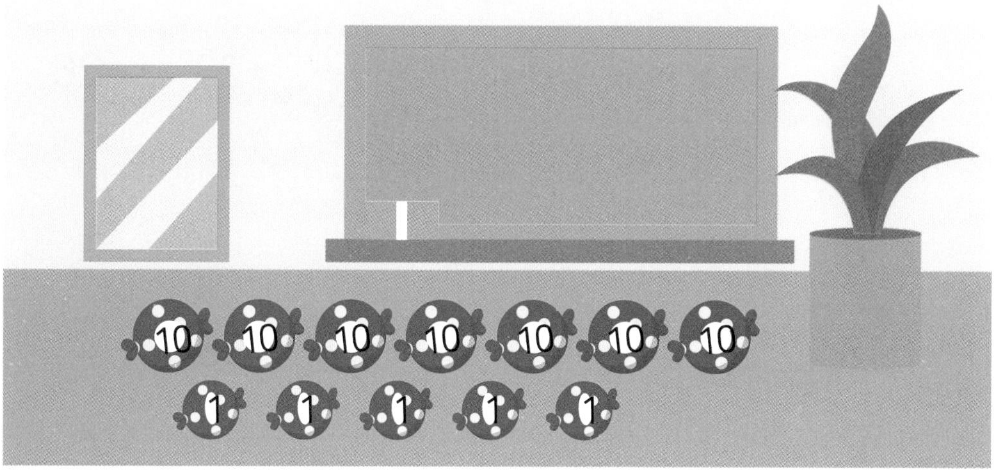

★ 선생님이 선영이와 미진이에게만 사탕을 준다면 남는 사탕은 몇 개일까요?

식: 75 - 17 - 24 = 34　　답: 34 개

① 선생님이 선영이와 철호에게만 사탕을 준다면 남는 사탕은 몇 개일까요?

식: ______________　　답: ____ 개

문제를 읽고 알맞은 식과 답을 써 보세요.

① 성호는 구슬 84개 중 친구 두 명에게 각각 29개와 38개를 나눠주었습니다. 성호에게 남은 구슬은 모두 몇 개일까요?

식 : ______________________ 답 : ______ 개

② 냉장고에 딸기 116개가 있었는데 아버지가 58개, 어머니가 26개를 꺼내 드셨습니다. 냉장고에 남아 있는 딸기는 모두 몇 개일까요?

식 : ______________________ 답 : ______ 개

문제를 읽고 알맞은 식과 답을 써 보세요.

① 84쪽의 백과사전을 어제부터 읽기 시작하여 어제는 26쪽, 오늘은 35쪽을 읽었습니다. 읽어야 하는 백과사전은 몇 쪽일까요?

식 : ______________________ 답 : ______ 쪽

② 놀이공원에서 94명의 아이들이 놀고 있다가 42명이 집으로 가고 잠시 후 16명이 더 집으로 갔습니다. 놀이공원에 남아 있는 아이들은 몇 명일까요?

식 : ______________________ 답 : ______ 명

③ 냉장고에 달걀이 51개 있었는데 아침에 할아버지와 할머니께서 11개, 점심에 아버지와 어머니께서 12개를 드셨습니다. 냉장고에 남아 있는 달걀은 몇 개일까요?

식 : ______________________ 답 : ______ 개

문제를 읽고 알맞은 식과 답을 써 보세요.

① 정희는 어머니와 생선 가게에 갔는데 생선 가게 아저씨가 남은 생선이 108마리인데 그 중 고등어가 32마리, 갈치가 29마리라고 말씀하셨습니다. 고등어와 갈치가 아닌 생선은 모두 몇 마리일까요?

식 : ______________________ 답 : ______ 마리

② 정현이네 학년은 모두 101명이고 1반부터 3반까지 있습니다. 1반은 34명, 2반은 32명일 때, 3반의 학생은 모두 몇 명일까요?

식 : ______________________ 답 : ______ 명

③ 민수네 집에는 바둑알과 공깃돌을 합쳐 모두 121개가 있는데 흰색 바둑알이 46개, 검은색 바둑알이 52개입니다. 공깃돌은 모두 몇 개일까요?

식 : ______________________ 답 : ______ 개

3주차

세 수의 덧셈과 뺄셈

1일	더하고 빼기	42
2일	빼고 더하기	45
3일	연산 약속	48
4일	연산 퍼즐	50
5일	문장제	53

두 자리의 세 수의 덧셈, 뺄셈을 공부합니다. 앞에서부터 순서대로 계산하도록 하였고, 두 자리 수 덧셈, 뺄셈의 연습이 되는 내용입니다.

더하고 빼기

□에 알맞은 수를 써넣으세요.

① $42 + 19 = \square$ → $\square - 32 = \square$

② $28 + 54 = \square$ → $\square - 19 = \square$

③ $73 + 42 = \square$ → $\square - 67 = \square$

④ $53 + 26 = \square$ → $\square - 41 = \square$

⑤ $84 + 23 = \square$ → $\square - 29 = \square$

⑥ $39 + 45 = \square$ → $\square - 57 = \square$

⑦ $18 + 26 = \square$ → $\square - 15 = \square$

⑧ $36 + 95 = \square$ → $\square - 74 = \square$

□에 알맞은 수를 써넣으세요.

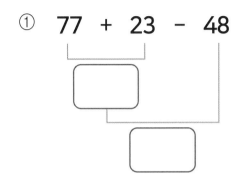

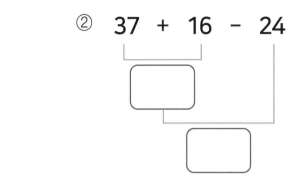

① 77 + 23 − 48

② 37 + 16 − 24

③ 46 + 55 − 28

④ 42 + 53 − 37

⑤ 43 + 17 − 33

⑥ 73 + 53 − 66

⑦ 41 + 93 − 59

⑧ 58 + 17 − 55

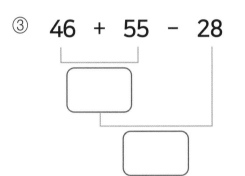

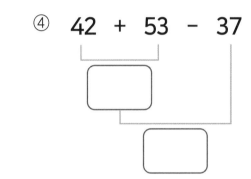

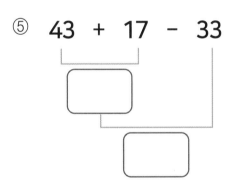

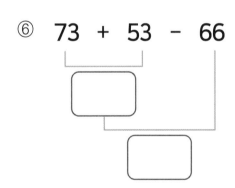

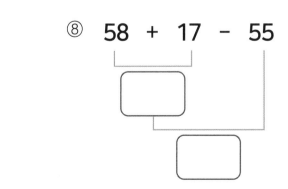

계산해 보세요.

① $19 + 43 - 26 =$

62

② $58 + 54 - 76 =$

③ $39 + 76 - 55 =$

④ $27 + 38 - 16 =$

⑤ $22 + 42 - 32 =$

⑥ $82 + 97 - 86 =$

⑦ $36 + 15 - 22 =$

⑧ $27 + 35 - 44 =$

⑨ $11 + 56 - 38 =$

⑩ $63 + 59 - 34 =$

⑪ $36 + 84 - 41 =$

⑫ $17 + 14 - 11 =$

⑬ $26 + 59 - 37 =$

⑭ $65 + 45 - 19 =$

빼고 더하기

□에 알맞은 수를 써넣으세요.

① $\begin{array}{r} 58 \\ -\ 36 \\ \hline \square \end{array} \rightarrow \begin{array}{r} \square \\ +\ 24 \\ \hline \square \end{array}$

② $\begin{array}{r} 82 \\ -\ 14 \\ \hline \square \end{array} \rightarrow \begin{array}{r} \square \\ +\ 55 \\ \hline \square \end{array}$

③ $\begin{array}{r} 133 \\ -\ 61 \\ \hline \square \end{array} \rightarrow \begin{array}{r} \square \\ +\ 47 \\ \hline \square \end{array}$

④ $\begin{array}{r} 54 \\ -\ 39 \\ \hline \square \end{array} \rightarrow \begin{array}{r} \square \\ +\ 48 \\ \hline \square \end{array}$

⑤ $\begin{array}{r} 71 \\ -\ 43 \\ \hline \square \end{array} \rightarrow \begin{array}{r} \square \\ +\ 36 \\ \hline \square \end{array}$

⑥ $\begin{array}{r} 129 \\ -\ 60 \\ \hline \square \end{array} \rightarrow \begin{array}{r} \square \\ +\ 66 \\ \hline \square \end{array}$

⑦ $\begin{array}{r} 104 \\ -\ 57 \\ \hline \square \end{array} \rightarrow \begin{array}{r} \square \\ +\ 42 \\ \hline \square \end{array}$

⑧ $\begin{array}{r} 73 \\ -\ 55 \\ \hline \square \end{array} \rightarrow \begin{array}{r} \square \\ +\ 69 \\ \hline \square \end{array}$

□에 알맞은 수를 써넣으세요.

① 121 − 32 + 84

② 133 − 74 + 18

③ 51 − 26 + 92

④ 61 − 32 + 14

⑤ 80 − 16 + 24

⑥ 126 − 79 + 83

⑦ 101 − 84 + 39

⑧ 45 − 22 + 69

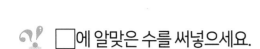

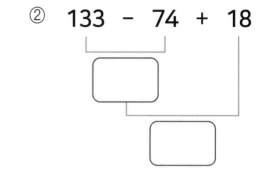

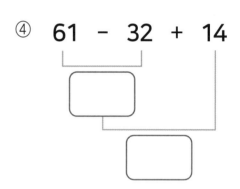

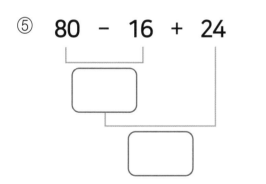

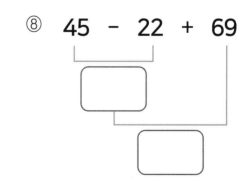

계산해 보세요.

① 47 − 28 + 54 =

19

② 134 − 52 + 39 =

③ 56 − 38 + 18 =

④ 94 − 72 + 66 =

⑤ 100 − 35 + 89 =

⑥ 54 − 17 + 11 =

⑦ 39 − 26 + 81 =

⑧ 114 − 16 + 27 =

⑨ 133 − 75 + 19 =

⑩ 76 − 56 + 99 =

⑪ 147 − 80 + 13 =

⑫ 93 − 69 + 42 =

⑬ 56 − 43 + 82 =

⑭ 104 − 64 + 27 =

연산 약속

규칙을 알아보고 빈 곳에 알맞은 수를 써넣으세요.

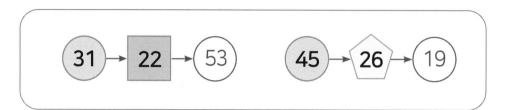

(31) → [22] → (53)　　(45) → ⬠26 → (19)

① (17) → [34] → ⬠23 → ( )

② (56) → ⬠37 → [73] → ( )

③ (45) → [84] → ⬠62 → ( )

④ (132) → ⬠68 → [37] → ( )

⑤ (45) → ⬠22 → [72] → ( )

⑥ (47) → [55] → ⬠32 → ( )

⑦ (116) → ⬠18 → [21] → ( )

⑧ (79) → [34] → ⬠76 → ( )

⑨ (18) → [27] → ⬠25 → ( )

⑩ (64) → ⬠16 → [93] → ( )

◯ 안의 수는 더하고, ☆ 안의 수는 빼어 △ 안에 계산 결과를 써넣으세요.

①

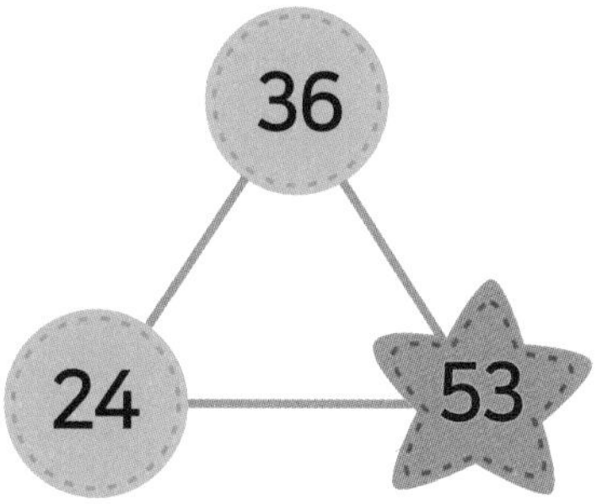

②

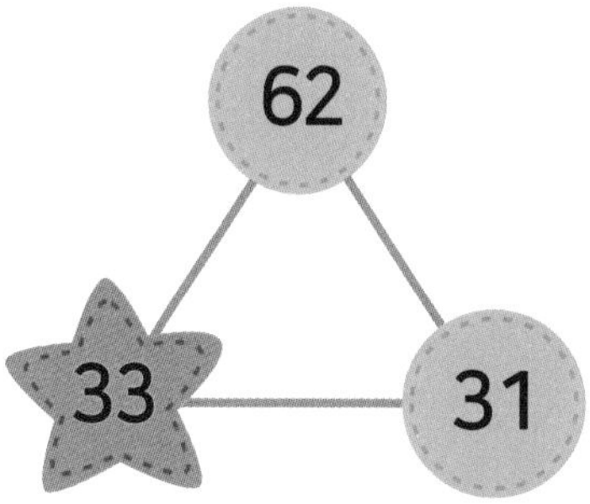

③

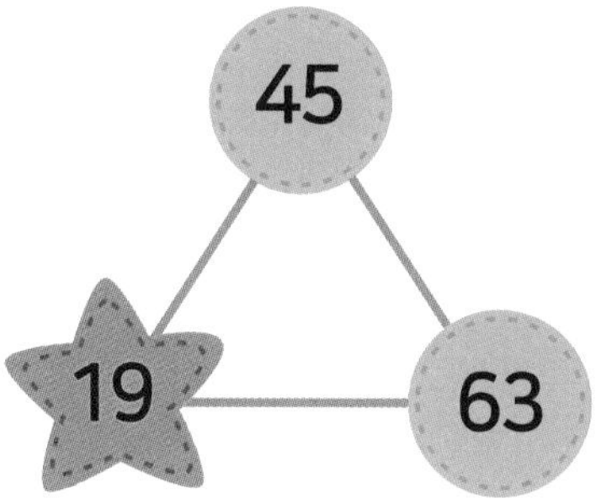

④

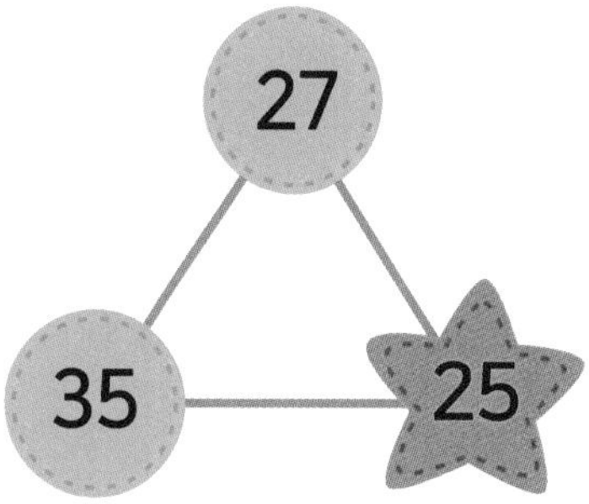

⑤

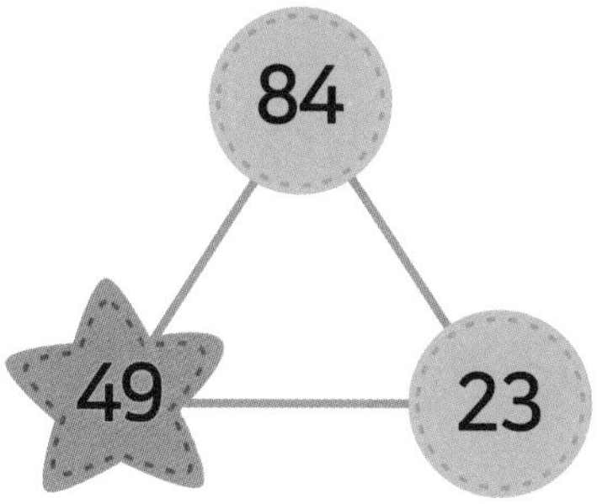

⑥

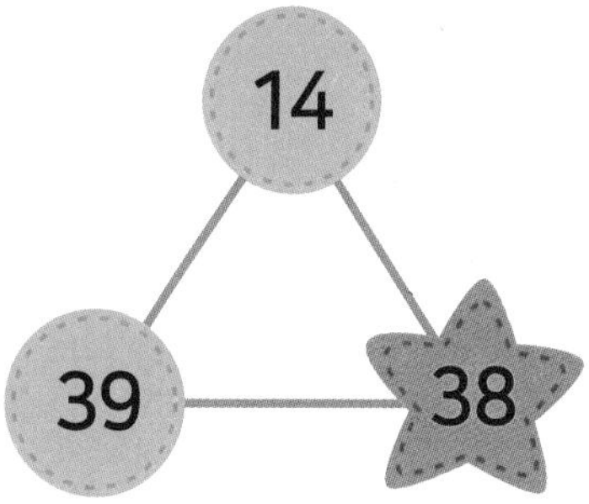

⑦

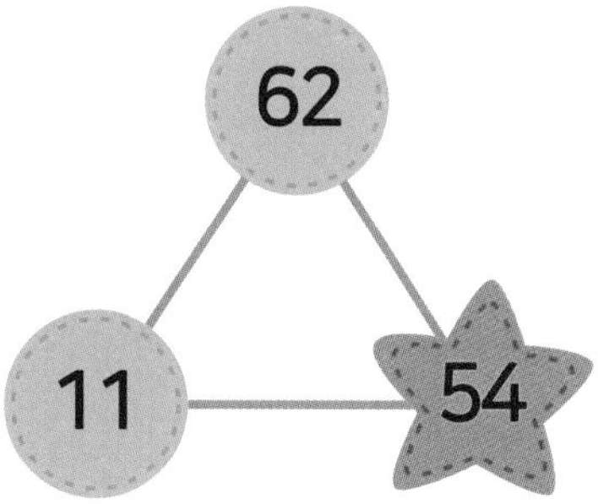

⑧

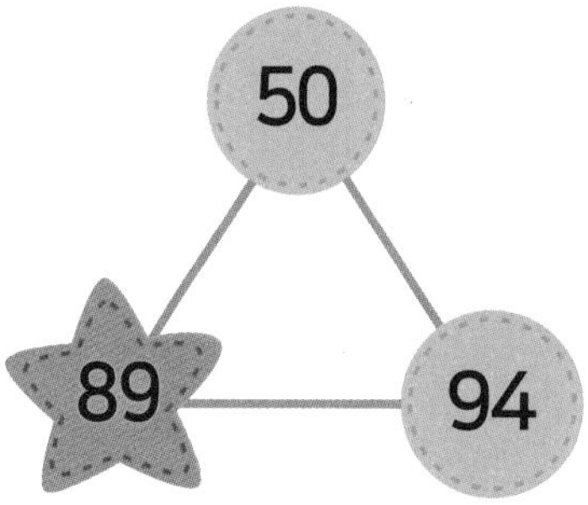

4일 연산 퍼즐

공부한 날! 월 일

잘못 계산한 것을 찾아 바르게 고쳐 보세요.

$64 + 27 - 28 = 63$

$52 - 37 + 26 = 51$

$132 - 65 + 38 = 105$

$74 + 55 - 61 = 68$

$29 + 33 - 16 = 46$

$99 - 35 + 27 = 81$

$94 + 18 - 85 = 27$

$64 + 37 - 19 = 72$

$83 - 62 + 55 = 76$

$53 + 26 - 29 = 60$

$108 - 59 + 22 = 71$

$62 - 45 + 73 = 90$

같은 위치의 수를 더하고 빼서 아래의 표를 완성하세요.

68	39	57
88	75	34

+

29	37	49
27	15	24

−

24	17	55
19	22	46

=

68 + 29 - 24 = 73

73		

같은 위치의 수를 빼고 더해서 아래의 표를 완성하세요.

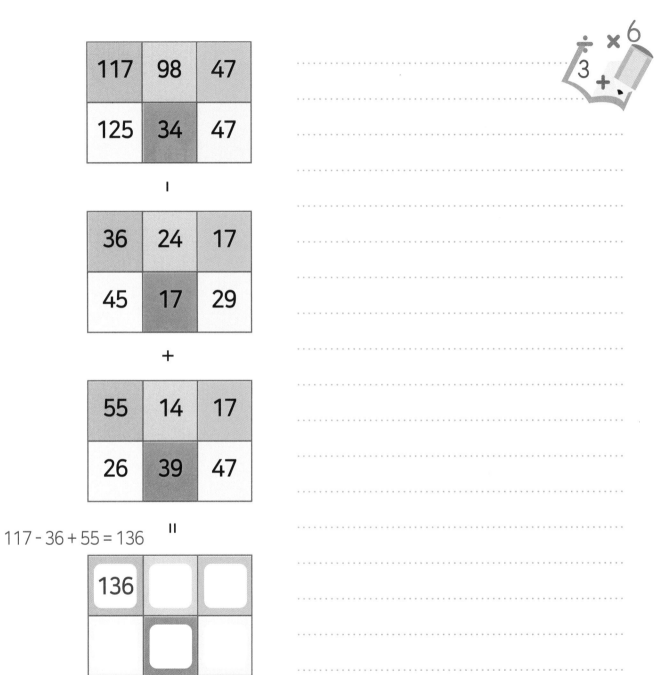

117	98	47
125	34	47

−

36	24	17
45	17	29

+

55	14	17
26	39	47

=

117 - 36 + 55 = 136

136		

문장제

글과 그림을 보고 물음에 알맞은 식을 세우고 답을 구하세요.

교실에 풍선을 장식하였는데 개수를 세어 보니 빨간색 풍선이 35개이고 파란색 풍선이 19개입니다.

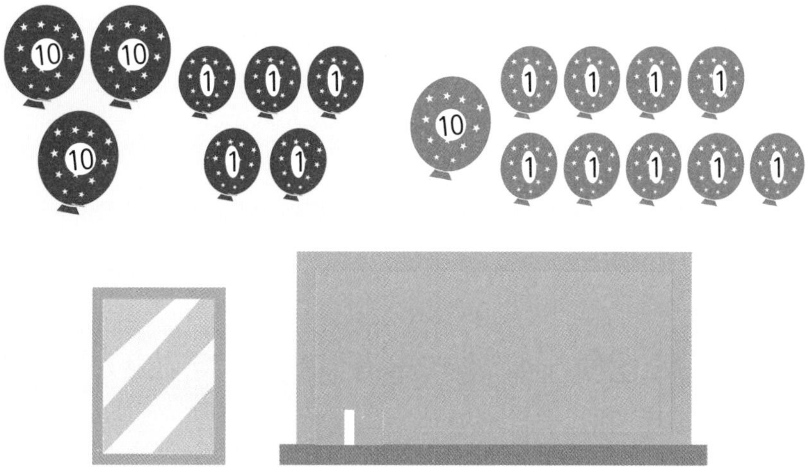

★ 빨간색 풍선과 파란색 풍선을 합쳐 모두 11개가 터졌다면 교실에 남아 있는 풍선은 몇 개일까요?

식: 35 + 19 − 11 = 43　　답: 43 개

① 빨간색 풍선만 14개가 터졌다면 교실에 남아 있는 풍선은 모두 몇 개일까요?

식: ______　　답: ____ 개

문제를 읽고 알맞은 식과 답을 써 보세요.

① 종민이네 어머님께서 딸기 64개를 사 오셔서 32개를 먹었습니다. 잠시 후 아버지께서 딸기 23개를 더 사 오셨다면 남은 딸기는 몇 개일까요?

식 : ______________________ 답 : ______ 개

② 35명이 운동장에서 놀고 있다가 수업종이 울려 17명이 들어가고 49명이 운동장으로 나왔습니다. 운동장에는 모두 몇 명이 있을까요?

식 : ______________________ 답 : ______ 명

③ 신발 가게에서 모두 68켤레의 신발을 파는데 한 달간 51켤레의 신발이 팔리고 새로운 신발이 72켤레 더 들어왔습니다. 신발 가게에 남은 신발은 모두 몇 켤레일까요?

식 : ______________________ 답 : ______ 켤레

문제를 읽고 알맞은 식과 답을 써 보세요.

① 도너츠 가게에 꽈배기 43개와 도너츠 26개가 있었는데 합쳐서 모두 58개가 팔렸습니다. 남아 있는 꽈배기와 도너츠는 몇 개일까요?

식 : ______________________ 답 : ______ 개

② 성호는 단풍잎 73장을 모았는데 34장은 친구에게 주고 다음 날 16장을 더 모았습니다. 성호가 가지고 있는 단풍잎은 모두 몇 장일까요?

식 : ______________________ 답 : ______ 장

③ 버스에 38명이 타고 있었는데 다음 정류장에서 27명이 타고, 18명이 내렸습니다. 버스 안에 남아 있는 사람은 모두 몇 명인가요?

식 : ______________________ 답 : ______ 명

문제를 읽고 알맞은 식과 답을 써 보세요.

① 교실에 35명의 학생이 있었는데 17명이 더 들어왔다가 24명이 나갔습니다. 교실에 남은 학생은 몇 명일까요?

식 : ________________　　답 : ______ 명

② 주차장에 16대의 차가 주차되어 있었는데 1시간 동안 37대가 들어오고 19대가 나갔습니다. 주차장에 남아 있는 차는 몇 대일까요?

식 : ________________　　답 : ______ 대

③ 기차역에 65명의 사람이 있었는데 도착한 기차에서 43명이 내리고 28명이 기차를 탔습니다. 기차역에 있는 사람은 모두 몇 명일까요?

식 : ________________　　답 : ______ 명

4주차

도전! 계산왕

1일 세 수의 덧셈과 뺄셈 58

2일 세 수의 덧셈과 뺄셈 60

3일 세 수의 덧셈과 뺄셈 62

4일 세 수의 덧셈과 뺄셈 64

5일 세 수의 덧셈과 뺄셈 66

세 수의 덧셈과 뺄셈

공부한 날	월 일
점수	/16

계산해 보세요.

① 88 − 29 − 43 =

② 93 − 27 − 48 =

③ 72 + 56 − 44 =

④ 74 + 19 − 26 =

⑤ 108 − 39 − 26 =

⑥ 111 − 27 − 35 =

⑦ 68 − 22 + 17 =

⑧ 57 − 48 + 37 =

⑨ $$\begin{array}{r} 63 \\ 17 \\ +\ 31 \\ \hline \end{array}$$

⑩ $$\begin{array}{r} 24 \\ 58 \\ +\ 40 \\ \hline \end{array}$$

⑪ $$\begin{array}{r} 19 \\ 26 \\ +\ 54 \\ \hline \end{array}$$

⑫ $$\begin{array}{r} 23 \\ 26 \\ +\ 73 \\ \hline \end{array}$$

⑬ $$\begin{array}{r} 49 \\ 15 \\ +\ 22 \\ \hline \end{array}$$

⑭ $$\begin{array}{r} 56 \\ 28 \\ +\ 35 \\ \hline \end{array}$$

⑮ $$\begin{array}{r} 29 \\ 33 \\ +\ 41 \\ \hline \end{array}$$

⑯ $$\begin{array}{r} 38 \\ 24 \\ +\ 12 \\ \hline \end{array}$$

세 수의 덧셈과 뺄셈

공부한 날	월 일
점수	/16

계산해 보세요.

① 104 − 36 − 17 =

② 84 − 26 − 35 =

③ 91 + 47 − 52 =

④ 96 − 37 − 35 =

⑤ 68 − 32 − 14 =

⑥ 100 − 29 − 36 =

⑦ 92 − 16 + 25 =

⑧ 77 − 39 + 17 =

⑨ $\begin{array}{r} 74 \\ 25 \\ +\ 17 \\ \hline \end{array}$

⑩ $\begin{array}{r} 63 \\ 15 \\ +\ 24 \\ \hline \end{array}$

⑪ $\begin{array}{r} 45 \\ 39 \\ +\ 12 \\ \hline \end{array}$

⑫ $\begin{array}{r} 11 \\ 57 \\ +\ 33 \\ \hline \end{array}$

⑬ $\begin{array}{r} 28 \\ 39 \\ +\ 58 \\ \hline \end{array}$

⑭ $\begin{array}{r} 60 \\ 17 \\ +\ 34 \\ \hline \end{array}$

⑮ $\begin{array}{r} 37 \\ 13 \\ +\ 38 \\ \hline \end{array}$

⑯ $\begin{array}{r} 57 \\ 16 \\ +\ 13 \\ \hline \end{array}$

세 수의 덧셈과 뺄셈

공부한 날	월 일
점수	/16

계산해 보세요.

① $96 - 18 - 34 =$

② $88 - 32 - 29 =$

③ $83 + 25 - 49 =$

④ $39 + 84 - 26 =$

⑤ $84 - 23 - 45 =$

⑥ $104 - 37 - 56 =$

⑦ $46 - 33 + 57 =$

⑧ $80 - 72 + 26 =$

⑨ $\begin{array}{r} 32 \\ 16 \\ +\ 67 \\ \hline \end{array}$

⑩ $\begin{array}{r} 38 \\ 14 \\ +\ 21 \\ \hline \end{array}$

⑪ $\begin{array}{r} 51 \\ 15 \\ +\ 25 \\ \hline \end{array}$

⑫ $\begin{array}{r} 42 \\ 53 \\ +\ 29 \\ \hline \end{array}$

⑬ $\begin{array}{r} 47 \\ 35 \\ +\ 52 \\ \hline \end{array}$

⑭ $\begin{array}{r} 16 \\ 42 \\ +\ 34 \\ \hline \end{array}$

⑮ $\begin{array}{r} 67 \\ 12 \\ +\ 23 \\ \hline \end{array}$

⑯ $\begin{array}{r} 49 \\ 14 \\ +\ 31 \\ \hline \end{array}$

세 수의 덧셈과 뺄셈

공부한 날	월 일
점수	/16

계산해 보세요.

① 63 − 29 − 13 =

② 72 − 17 − 38 =

③ 55 − 11 + 39 =

④ 87 + 31 − 66 =

⑤ 67 − 28 − 36 =

⑥ 123 − 55 − 39 =

⑦ 86 − 39 − 16 =

⑧ 116 − 68 − 22 =

⑨
$$\begin{array}{r} 34 \\ 24 \\ +\ 22 \\ \hline \end{array}$$

⑩
$$\begin{array}{r} 37 \\ 48 \\ +\ 26 \\ \hline \end{array}$$

⑪
$$\begin{array}{r} 52 \\ 39 \\ +\ 27 \\ \hline \end{array}$$

⑫
$$\begin{array}{r} 24 \\ 51 \\ +\ 29 \\ \hline \end{array}$$

⑬
$$\begin{array}{r} 28 \\ 53 \\ +\ 36 \\ \hline \end{array}$$

⑭
$$\begin{array}{r} 31 \\ 42 \\ +\ 56 \\ \hline \end{array}$$

⑮
$$\begin{array}{r} 51 \\ 37 \\ +\ 48 \\ \hline \end{array}$$

⑯
$$\begin{array}{r} 58 \\ 16 \\ +\ 22 \\ \hline \end{array}$$

세 수의 덧셈과 뺄셈

공부한 날	월 일
점수	/16

계산해 보세요.

① 74 − 26 − 34 =

② 114 − 58 − 22 =

③ 71 − 53 + 19 =

④ 37 − 31 + 76 =

⑤ 85 − 16 − 49 =

⑥ 53 + 28 − 46 =

⑦ 93 − 27 − 35 =

⑧ 117 − 33 − 26 =

⑨ $\begin{array}{r} 28 \\ 46 \\ +\ 37 \\ \hline \end{array}$

⑩ $\begin{array}{r} 26 \\ 37 \\ +\ 14 \\ \hline \end{array}$

⑪ $\begin{array}{r} 64 \\ 22 \\ +\ 17 \\ \hline \end{array}$

⑫ $\begin{array}{r} 38 \\ 45 \\ +\ 23 \\ \hline \end{array}$

⑬ $\begin{array}{r} 57 \\ 14 \\ +\ 41 \\ \hline \end{array}$

⑭ $\begin{array}{r} 43 \\ 38 \\ +\ 24 \\ \hline \end{array}$

⑮ $\begin{array}{r} 73 \\ 19 \\ +\ 24 \\ \hline \end{array}$

⑯ $\begin{array}{r} 26 \\ 37 \\ +\ 17 \\ \hline \end{array}$

세 수의 덧셈과 뺄셈

공부한 날	월 일
점수	/16

계산해 보세요.

① $94 - 36 - 35 =$

② $122 - 24 - 67 =$

③ $89 + 46 - 53 =$

④ $57 - 12 - 19 =$

⑤ $113 - 59 - 34 =$

⑥ $70 - 24 + 18 =$

⑦ $153 - 66 - 23 =$

⑧ $115 - 41 - 39 =$

⑨ $\begin{array}{r} 25 \\ 17 \\ +\ 64 \\ \hline \end{array}$

⑩ $\begin{array}{r} 14 \\ 55 \\ +\ 23 \\ \hline \end{array}$

⑪ $\begin{array}{r} 26 \\ 35 \\ +\ 27 \\ \hline \end{array}$

⑫ $\begin{array}{r} 41 \\ 33 \\ +\ 16 \\ \hline \end{array}$

⑬ $\begin{array}{r} 23 \\ 47 \\ +\ 45 \\ \hline \end{array}$

⑭ $\begin{array}{r} 34 \\ 16 \\ +\ 45 \\ \hline \end{array}$

⑮ $\begin{array}{r} 53 \\ 17 \\ +\ 35 \\ \hline \end{array}$

⑯ $\begin{array}{r} 49 \\ 32 \\ +\ 11 \\ \hline \end{array}$

세 수의 덧셈과 뺄셈

공부한 날	월 일
점수	/16

계산해 보세요.

① 93 - 28 - 49 =

② 142 - 58 - 31 =

③ 110 - 25 - 58 =

④ 81 - 24 - 39 =

⑤ 96 - 26 - 22 =

⑥ 83 - 28 - 17 =

⑦ 67 - 19 - 36 =

⑧ 114 - 59 - 34 =

⑨ $34 + 43 + 26$

⑩ $31 + 52 + 46$

⑪ $35 + 48 + 13$

⑫ $26 + 13 + 68$

⑬ $29 + 32 + 56$

⑭ $37 + 49 + 13$

⑮ $45 + 27 + 15$

⑯ $25 + 16 + 58$

세 수의 덧셈과 뺄셈

공부한 날	월 일
점수	/16

계산해 보세요.

① 97 − 28 − 57 =

② 35 − 25 + 73 =

③ 104 − 27 − 39 =

④ 117 − 29 − 35 =

⑤ 63 − 24 + 37 =

⑥ 45 + 18 − 55 =

⑦ 114 − 53 − 29 =

⑧ 134 − 73 − 17 =

⑨ $\begin{array}{r} 49 \\ 13 \\ +\ 21 \\ \hline \end{array}$

⑩ $\begin{array}{r} 42 \\ 18 \\ +\ 33 \\ \hline \end{array}$

⑪ $\begin{array}{r} 19 \\ 62 \\ +\ 14 \\ \hline \end{array}$

⑫ $\begin{array}{r} 33 \\ 32 \\ +\ 27 \\ \hline \end{array}$

⑬ $\begin{array}{r} 35 \\ 22 \\ +\ 48 \\ \hline \end{array}$

⑭ $\begin{array}{r} 47 \\ 28 \\ +\ 51 \\ \hline \end{array}$

⑮ $\begin{array}{r} 34 \\ 54 \\ +\ 44 \\ \hline \end{array}$

⑯ $\begin{array}{r} 37 \\ 22 \\ +\ 55 \\ \hline \end{array}$

세 수의 덧셈과 뺄셈

공부한 날	월 일
점수	/16

계산해 보세요.

① $73 - 43 + 68 =$

② $54 - 39 + 43 =$

③ $43 - 29 + 53 =$

④ $53 - 26 + 68 =$

⑤ $73 - 57 + 38 =$

⑥ $78 - 55 + 47 =$

⑦ $63 - 19 + 34 =$

⑧ $94 - 39 + 16 =$

⑨ $\begin{array}{r} 27 \\ 14 \\ +\ 11 \\ \hline \end{array}$

⑩ $\begin{array}{r} 59 \\ 34 \\ +\ 15 \\ \hline \end{array}$

⑪ $\begin{array}{r} 14 \\ 67 \\ +\ 26 \\ \hline \end{array}$

⑫ $\begin{array}{r} 55 \\ 38 \\ +\ 24 \\ \hline \end{array}$

⑬ $\begin{array}{r} 13 \\ 42 \\ +\ 28 \\ \hline \end{array}$

⑭ $\begin{array}{r} 34 \\ 26 \\ +\ 48 \\ \hline \end{array}$

⑮ $\begin{array}{r} 15 \\ 65 \\ +\ 22 \\ \hline \end{array}$

⑯ $\begin{array}{r} 17 \\ 49 \\ +\ 35 \\ \hline \end{array}$

세 수의 덧셈과 뺄셈

공부한 날	월 일
점수	/16

계산해 보세요.

① $60 - 24 + 14 =$

② $45 - 25 - 13 =$

③ $114 - 24 - 50 =$

④ $107 - 14 - 83 =$

⑤ $48 - 14 + 27 =$

⑥ $55 - 15 + 34 =$

⑦ $96 - 28 - 14 =$

⑧ $132 - 53 - 13 =$

⑨
$$\begin{array}{r} 27 \\ 43 \\ +\ 42 \\ \hline \end{array}$$

⑩
$$\begin{array}{r} 12 \\ 49 \\ +\ 17 \\ \hline \end{array}$$

⑪
$$\begin{array}{r} 38 \\ 41 \\ +\ 34 \\ \hline \end{array}$$

⑫
$$\begin{array}{r} 28 \\ 54 \\ +\ 18 \\ \hline \end{array}$$

⑬
$$\begin{array}{r} 34 \\ 16 \\ +\ 11 \\ \hline \end{array}$$

⑭
$$\begin{array}{r} 13 \\ 16 \\ +\ 18 \\ \hline \end{array}$$

⑮
$$\begin{array}{r} 74 \\ 13 \\ +\ 25 \\ \hline \end{array}$$

⑯
$$\begin{array}{r} 39 \\ 29 \\ +\ 69 \\ \hline \end{array}$$

MEMO

5주차

순서 바꾸어 계산하기

1일	더해서 몇십 만들기	70
2일	빼서 몇십 만들기	73
3일	몇십 만들어 한꺼번에 빼기	76
4일	몇십 만들어 계산하기	79
5일	연산 퍼즐	82

세 수의 덧셈, 뺄셈을 할 때, 순서대로 계산하지 않는 방법을 공부합니다. 더해서 몇십 만들기, 빼서 몇십 만들기, 몇십 만들어 한꺼번에 빼기를 차례로 연습합니다.

더해서 몇십 만들기

동영상 해설

몇십을 만들어 계산해 보세요.

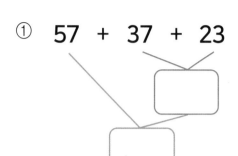

① 57 + 37 + 23

② 37 − 46 + 43

③ 32 + 14 + 26

④ 15 − 17 + 35

⑤ 58 + 31 + 29

⑥ 53 − 28 + 37

⑦ 42 + 73 + 17

⑧ 64 − 44 + 26

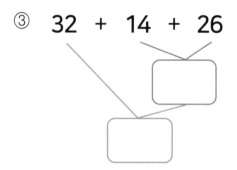

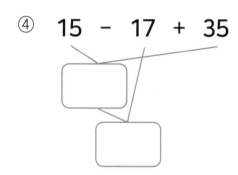

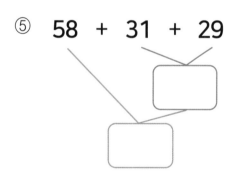

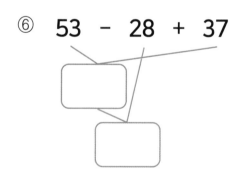

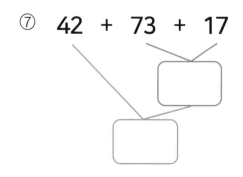

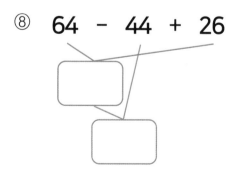

계산해 보세요.

① $\underline{47} + 34 + \underline{23} =$ ☐ (70)

② $83 - 15 + 27 =$ ☐

③ $43 + 27 - 16 =$ ☐

④ $85 - 29 + 25 =$ ☐

⑤ $39 + 37 + 21 =$ ☐

⑥ $65 - 19 + 25 =$ ☐

⑦ $73 - 17 + 27 =$ ☐

⑧ $61 - 23 + 29 =$ ☐

⑨ $29 + 13 + 41 =$ ☐

⑩ $45 + 15 - 19 =$ ☐

⑪ $37 - 16 + 23 =$ ☐

⑫ $57 - 21 + 23 =$ ☐

⑬ $49 - 13 + 21 =$ ☐

⑭ $36 - 21 + 54 =$ ☐

파란색 별의 수는 더하고 노란색 별의 수는 빼서 △ 안에 계산 결과를 써넣으세요.

①

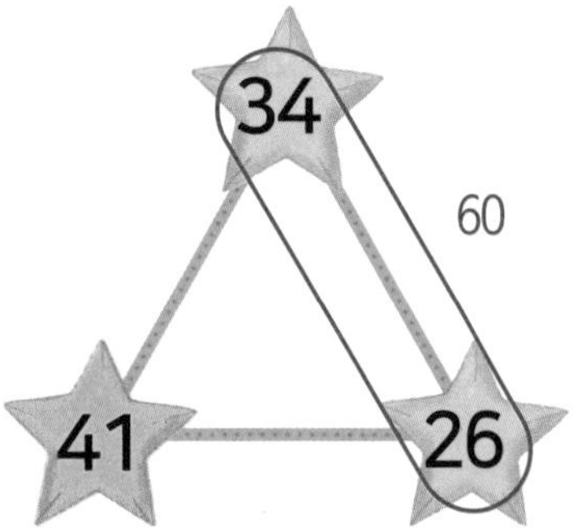

②

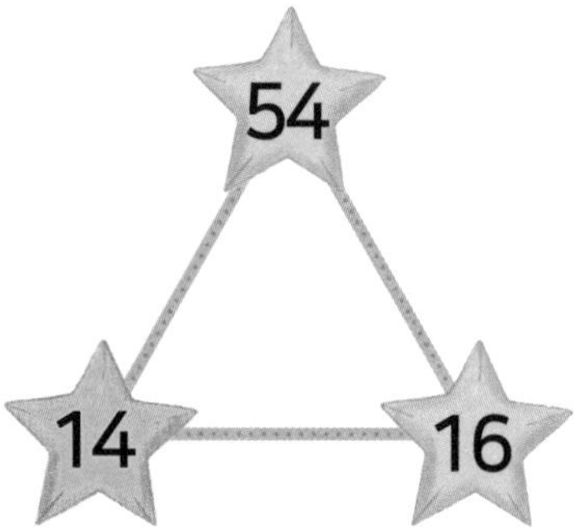

③

④

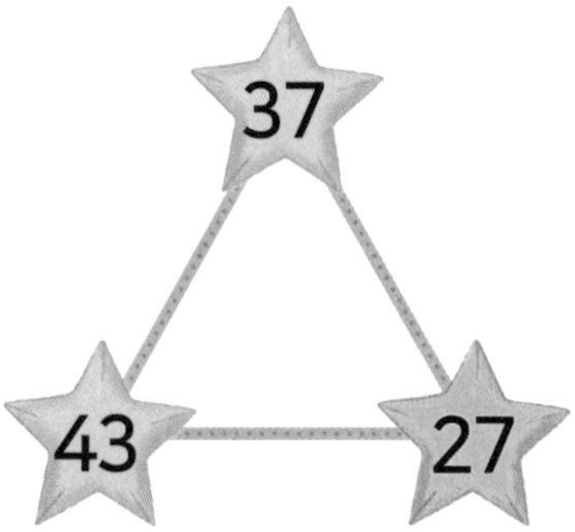

⑤

⑥

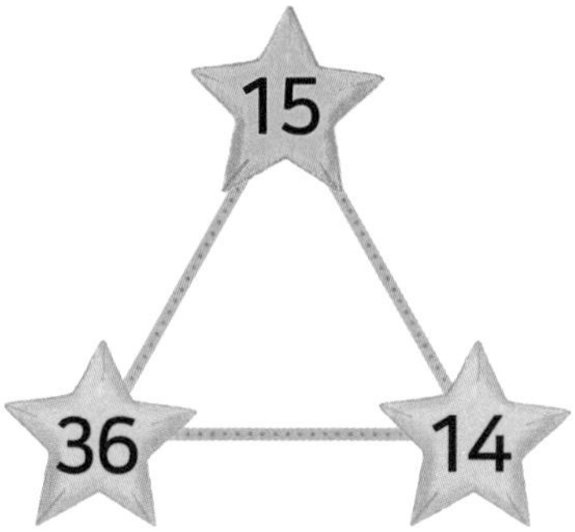

⑦

⑧

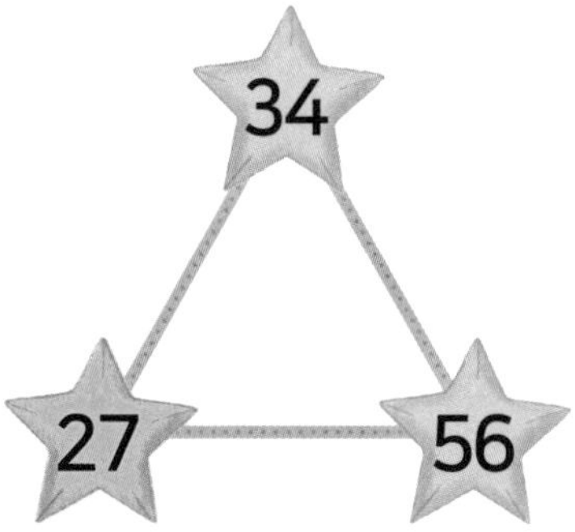

빼서 몇십 만들기

공부한 날! 월 일

동영상 해설

몇십을 만들어 계산해 보세요.

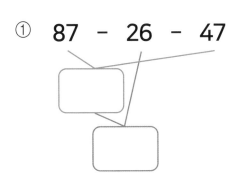

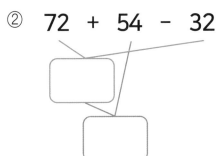

① 87 - 26 - 47

② 72 + 54 - 32

③ 64 - 16 - 14

④ 61 + 73 - 51

⑤ 99 - 37 - 39

⑥ 84 + 79 - 24

⑦ 82 - 18 - 52

⑧ 36 + 93 - 16

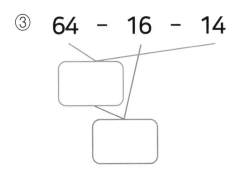

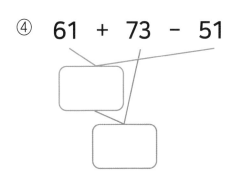

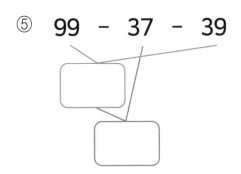

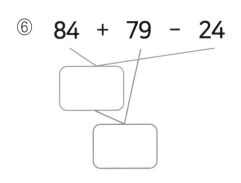

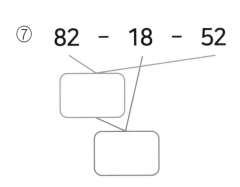

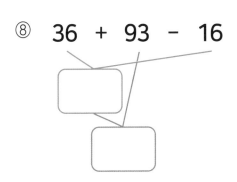

계산해 보세요.

① $\underline{133} - 27 - \underline{53} = \square$ (133, 53 → 80)

② $97 - 16 - 37 = \square$

③ $57 + 16 - 37 = \square$

④ $89 - 15 - 29 = \square$

⑤ $87 + 33 - 27 = \square$

⑥ $89 - 17 - 29 = \square$

⑦ $45 + 21 - 15 = \square$

⑧ $66 - 31 - 16 = \square$

⑨ $57 + 16 - 17 = \square$

⑩ $95 - 13 - 45 = \square$

⑪ $37 + 26 - 17 = \square$

⑫ $86 - 18 - 36 = \square$

⑬ $56 + 19 - 36 = \square$

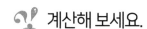

⑭ $119 - 45 - 49 = \square$

규칙을 알아보고 빈 곳에 알맞은 수를 써넣으세요.

33 → 20 → 53   90 → 46 → 44

① 65 → 15 → 27 → ( )

② 52 → 24 → 22 → ( )

③ 54 → 34 → 24 → ( )

④ 94 → 25 → 54 → ( )

⑤ 62 → 22 → 33 → ( )

⑥ 85 → 31 → 25 → ( )

⑦ 48 → 28 → 21 → ( )

⑧ 72 → 44 → 12 → ( )

⑨ 57 → 37 → 22 → ( )

⑩ 88 → 43 → 38 → ( )

몇십 만들어 한꺼번에 빼기

공부한 날! 월 일

동영상 해설

몇십을 만들어 계산해 보세요.

① 64 - 27 - 13

27 + 13

64 - 40

② 85 - 27 - 33

③ 114 - 38 - 22

④ 75 - 26 - 24

⑤ 72 - 31 - 19

⑥ 108 - 57 - 23

⑦ 124 - 25 - 55

⑧ 91 - 32 - 18

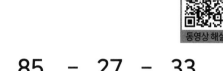

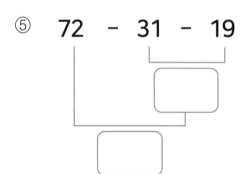

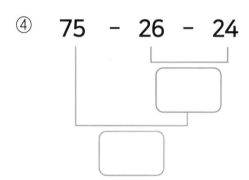

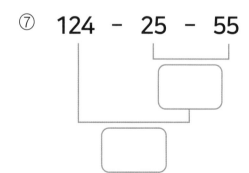

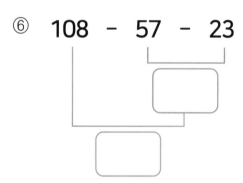

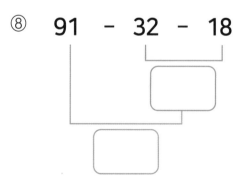

계산해 보세요.

① $101 - 13 - 17 = \square$ (13 + 17 = 30)

② $95 - 15 - 35 = \square$

③ $113 - 39 - 41 = \square$

④ $79 - 16 - 34 = \square$

⑤ $89 - 33 - 27 = \square$

⑥ $150 - 65 - 25 = \square$

⑦ $95 - 23 - 17 = \square$

⑧ $88 - 39 - 21 = \square$

⑨ $133 - 56 - 34 = \square$

⑩ $108 - 33 - 27 = \square$

⑪ $97 - 14 - 56 = \square$

⑫ $78 - 17 - 23 = \square$

⑬ $67 - 11 - 29 = \square$

⑭ $119 - 25 - 55 = \square$

빈 곳에 추의 무게를 써넣으세요.

①
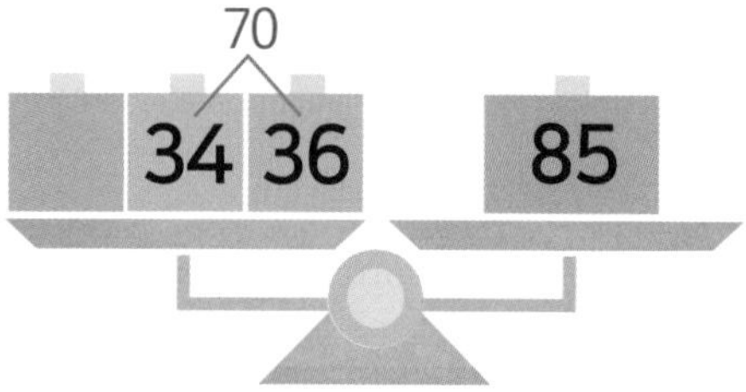

②
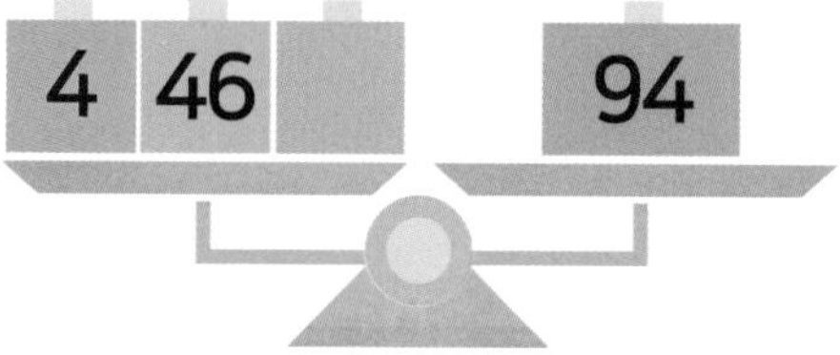

③

④
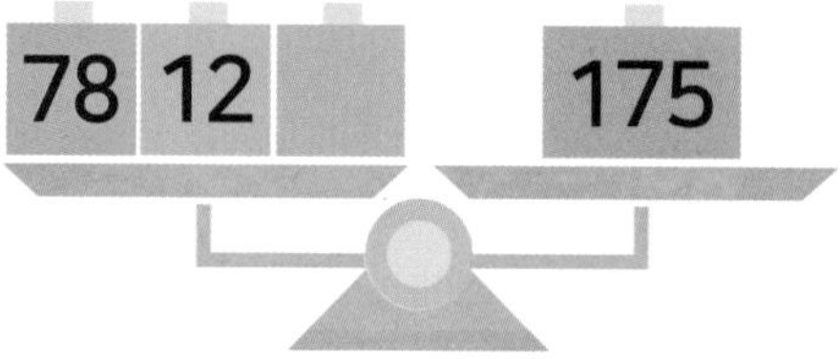

⑤
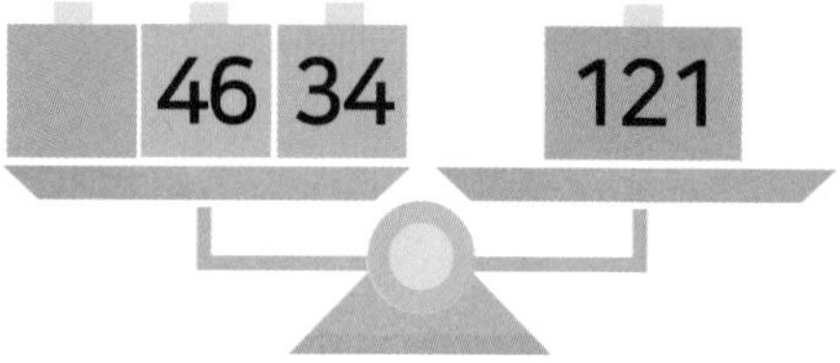

⑥
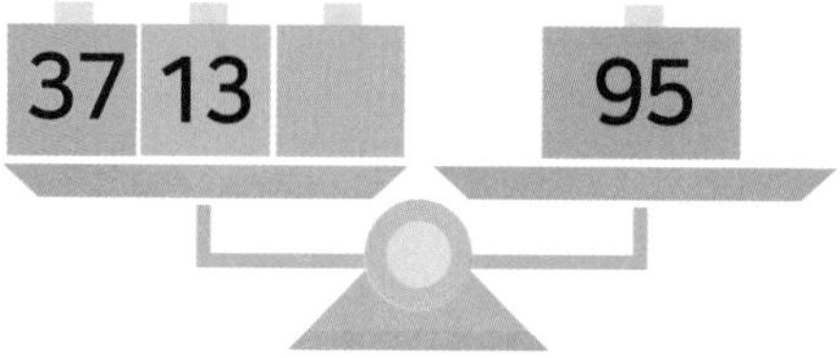

⑦

⑧
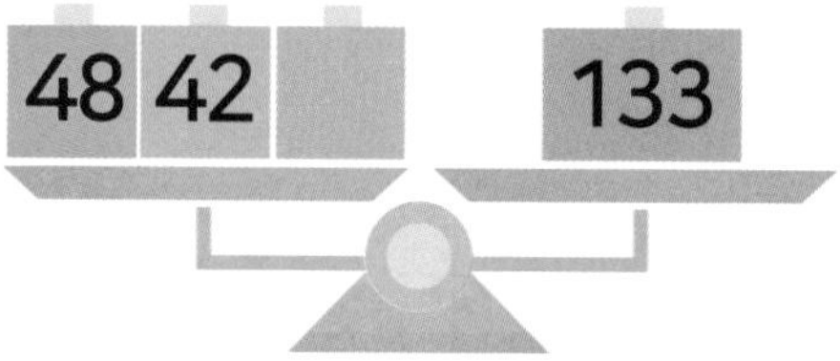

⑨
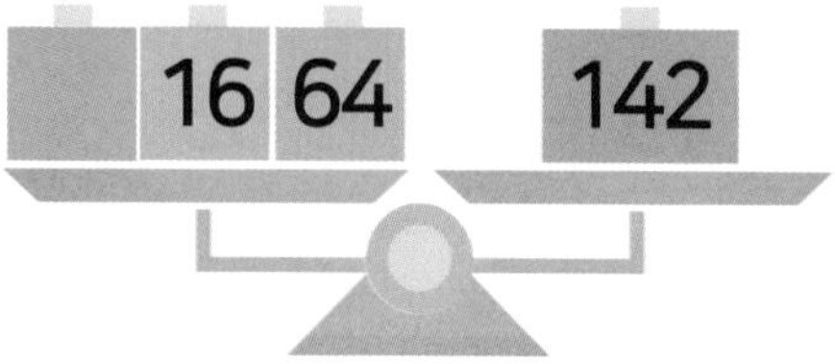

⑩
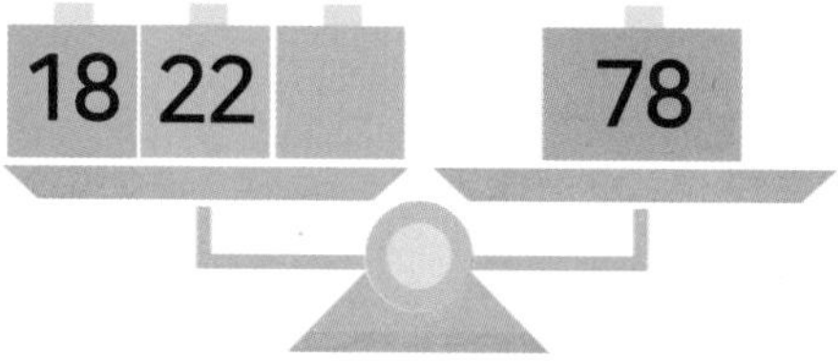

몇십 만들어 계산하기

공부한 날! 월 일

계산해 보세요.

① $47+13-27=$ (47, 27 → 20)

② $63-26-14=$ (26, 14 → 40)

③ $12+49+18=$ (12, 18 → 30)

④ $65+17-15=$

⑤ $95-48-15=$

⑥ $26+21+14=$

⑦ $38+54-18=$

⑧ $127-46-37=$

⑨ $94-16-34=$

⑩ $48-11+32=$

⑪ $33+46-13=$

⑫ $55+21-15=$

⑬ $89-14-26=$

⑭ $63+22-23=$

⑮ $65+13-25=$

⑯ $132-43-27=$

계산해 보세요.

① $56 + 17 - 36 =$

② $69 - 21 - 29 =$

③ $19 + 17 + 31 =$

④ $45 - 13 + 15 =$

⑤ $98 - 17 - 38 =$

⑥ $36 + 25 + 14 =$

⑦ $39 + 16 - 19 =$

⑧ $103 - 41 - 19 =$

⑨ $54 - 17 - 14 =$

⑩ $49 - 15 + 11 =$

⑪ $39 + 42 - 29 =$

⑫ $59 - 13 + 31 =$

⑬ $65 - 16 - 25 =$

⑭ $97 + 18 - 17 =$

⑮ $37 + 22 - 27 =$

⑯ $109 - 52 - 18 =$

노란색 칸의 수는 더하고 주황색 칸의 수는 빼서 □ 안에 계산 결과를 써넣으세요.

①

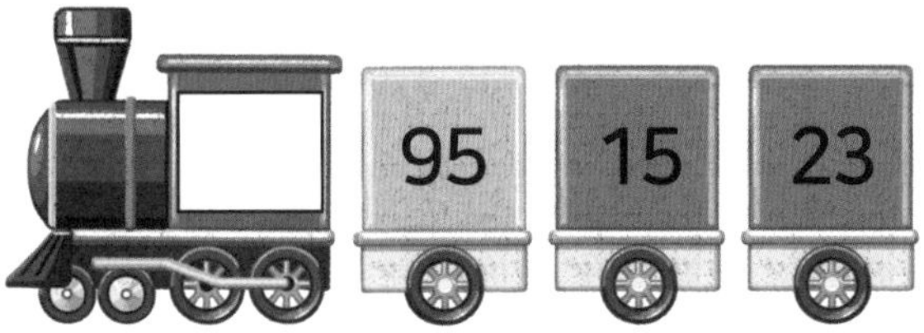

②

③

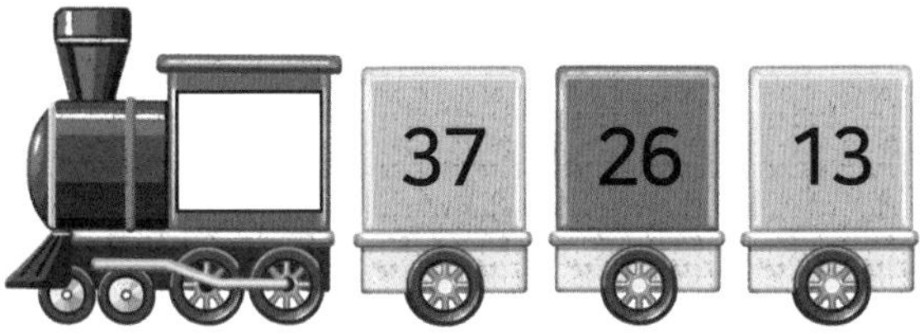

④

⑤

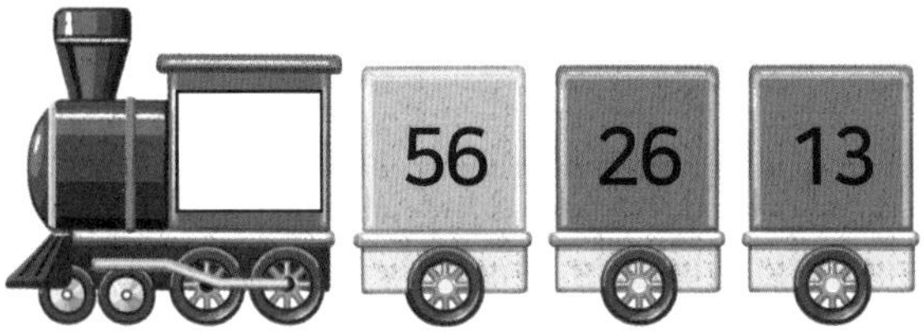

⑥

⑦

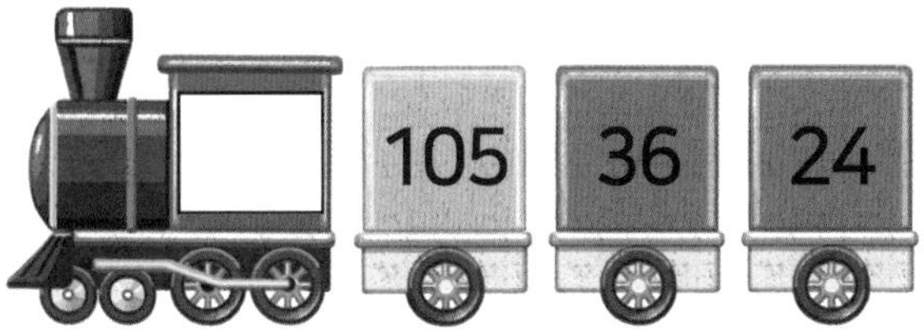

⑧

연산 퍼즐

가로, 세로로 세 수의 합이 서로 같습니다. □에 알맞은 수를 써넣으세요.

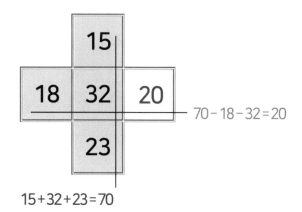

	15	
18	32	20
	23	

15+32+23=70

70-18-32=20

①

	63	
55	28	□
	37	

②

	28	
□	35	69
	42	

③

	23	
□	34	35
	47	

④

	□	
29	64	31
	26	

⑤

	□	
25	31	15
	19	

연두색은 점수를 더하고, 파란색은 점수를 빼기로 하고 다트 게임을 하였습니다. 점수를 구하세요.

①

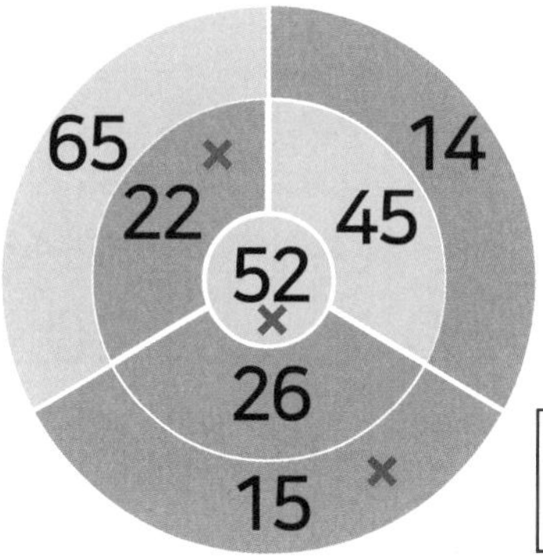

□ 점

②

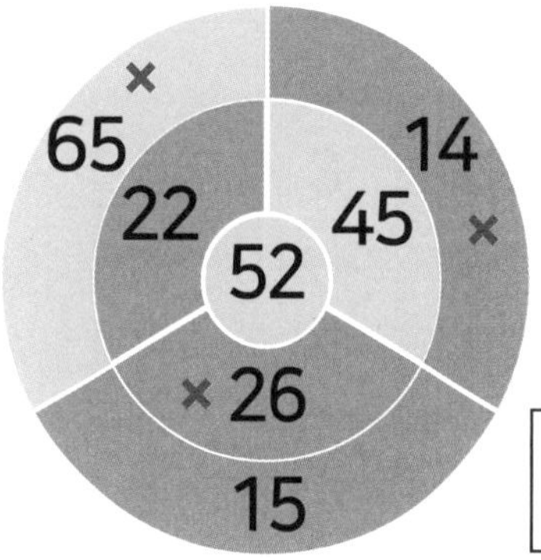

□ 점

③

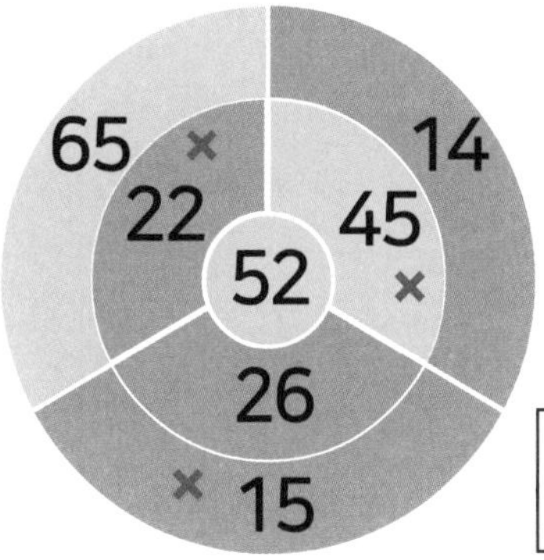

□ 점

④

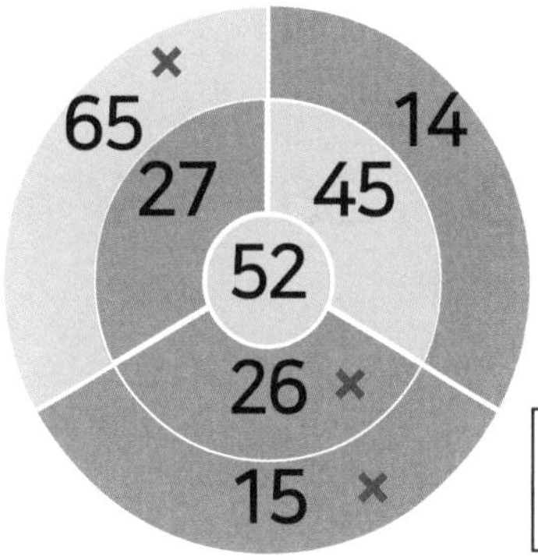

□ 점

⑤

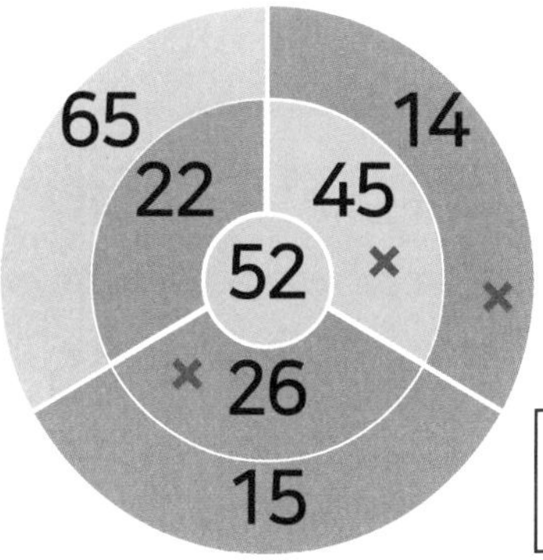

□ 점

⑥

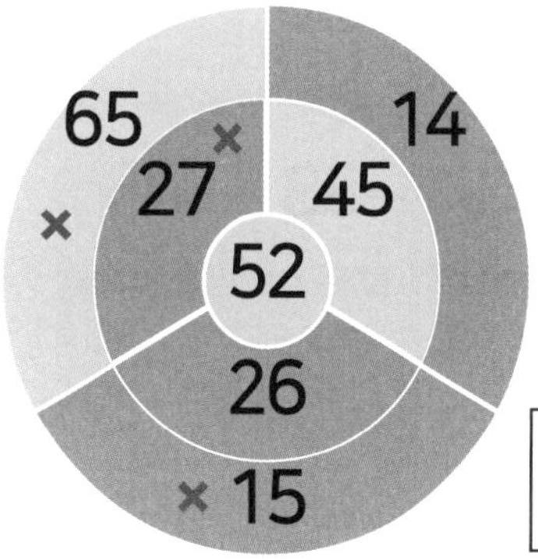

□ 점

가로, 세로, 대각선으로 세 수의 합이 서로 같습니다. □에 알맞은 수를 써넣으세요.

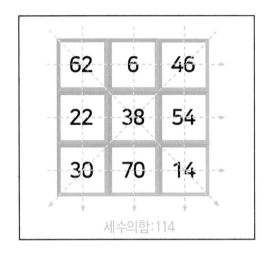

62	6	46
22	38	54
30	70	14

세수의합 : 114

25		
50		10
15		35

	50	
8	36	64
57		

	11	
35		
15	43	23

27	57	
	33	45
	9	

		51
54		30
	48	45

6주차

도전! 계산왕

1일 세 수의 덧셈과 뺄셈 86
2일 세 수의 덧셈과 뺄셈 88
3일 세 수의 덧셈과 뺄셈 90
4일 세 수의 덧셈과 뺄셈 92
5일 세 수의 덧셈과 뺄셈 94

세 수의 덧셈과 뺄셈

공부한 날 월 일
점수 /18

계산해 보세요.

① 46 + 52 + 14 =

② 63 - 56 + 27 =

③ 33 - 25 + 27 =

④ 45 - 39 + 25 =

⑤ 31 + 57 + 29 =

⑥ 66 - 19 + 34 =

⑦ 103 - 41 - 53 =

⑧ 75 - 12 - 35 =

⑨ 68 + 12 - 38 =

⑩ 96 - 45 - 26 =

⑪ 77 + 23 - 57 =

⑫ 89 - 29 - 38 =

⑬ 121 - 23 - 17 =

⑭ 88 - 26 - 34 =

⑮ 133 - 51 - 39 =

⑯ 45 - 26 - 14 =

⑰ 97 - 15 - 45 =

⑱ 146 - 79 - 11 =

1일 ❷

세 수의 덧셈과 뺄셈

공부한 날	월 일
점수	/18

계산해 보세요.

① 24 + 74 + 16 =

② 52 - 46 + 58 =

③ 17 + 23 - 37 =

④ 65 - 27 + 25 =

⑤ 11 + 56 + 39 =

⑥ 66 - 20 + 44 =

⑦ 83 - 47 - 23 =

⑧ 68 - 29 - 38 =

⑨ 78 + 42 - 38 =

⑩ 86 - 26 - 37 =

⑪ 62 + 23 - 12 =

⑫ 65 - 25 - 18 =

⑬ 130 - 47 - 33 =

⑭ 96 - 55 - 15 =

⑮ 73 - 31 - 29 =

⑯ 77 - 28 - 42 =

⑰ 113 - 38 - 22 =

⑱ 150 - 51 - 39 =

세 수의 덧셈과 뺄셈

공부한 날	월 일
점수	/18

계산해 보세요.

① 35 + 52 + 25 =

② 69 - 12 + 11 =

③ 35 - 12 + 15 =

④ 66 - 32 + 34 =

⑤ 28 + 71 + 12 =

⑥ 87 - 25 + 23 =

⑦ 132 - 51 - 32 =

⑧ 78 - 36 - 38 =

⑨ 66 + 22 - 16 =

⑩ 85 - 47 - 35 =

⑪ 45 + 23 - 35 =

⑫ 56 - 18 - 26 =

⑬ 45 - 12 - 18 =

⑭ 65 - 36 - 14 =

⑮ 124 - 25 - 55 =

⑯ 42 - 15 - 25 =

⑰ 98 - 48 - 32 =

⑱ 137 - 48 - 32 =

세 수의 덧셈과 뺄셈

공부한 날	월 일
점수	/18

계산해 보세요.

① 62 + 31 + 18 =

② 21 - 16 + 19 =

③ 53 + 27 - 36 =

④ 76 - 18 + 14 =

⑤ 55 + 15 + 39 =

⑥ 23 - 11 + 27 =

⑦ 110 - 22 - 50 =

⑧ 75 - 39 - 35 =

⑨ 85 + 16 - 25 =

⑩ 84 - 38 - 24 =

⑪ 57 + 21 - 17 =

⑫ 96 - 22 - 46 =

⑬ 111 - 36 - 24 =

⑭ 65 - 16 - 34 =

⑮ 107 - 11 - 79 =

⑯ 124 - 32 - 58 =

⑰ 87 - 15 - 55 =

⑱ 100 - 56 - 14 =

세 수의 덧셈과 뺄셈

공부한 날 월 일
점수 /18

계산해 보세요.

① 12 + 62 + 28 =

② 57 - 23 + 43 =

③ 52 - 45 + 18 =

④ 25 - 16 + 45 =

⑤ 44 + 25 + 36 =

⑥ 63 - 36 + 27 =

⑦ 98 - 55 - 18 =

⑧ 62 - 23 - 22 =

⑨ 42 + 32 - 22 =

⑩ 65 - 18 - 35 =

⑪ 87 + 61 - 77 =

⑫ 45 - 16 - 15 =

⑬ 152 - 54 - 36 =

⑭ 72 - 31 - 19 =

⑮ 80 - 23 - 47 =

⑯ 94 - 15 - 65 =

⑰ 74 - 12 - 48 =

⑱ 114 - 46 - 34 =

세 수의 덧셈과 뺄셈

공부한 날	월 일
점수	/18

계산해 보세요.

① 12 + 11 + 78 =

② 53 - 36 + 37 =

③ 50 - 25 + 10 =

④ 65 - 17 + 15 =

⑤ 52 + 15 + 18 =

⑥ 24 - 19 + 16 =

⑦ 62 - 31 - 12 =

⑧ 74 - 28 - 14 =

⑨ 78 + 56 - 48 =

⑩ 111 - 33 - 61 =

⑪ 77 + 44 - 27 =

⑫ 87 - 39 - 37 =

⑬ 130 - 55 - 35 =

⑭ 74 - 52 - 18 =

⑮ 93 - 23 - 27 =

⑯ 54 - 28 - 12 =

⑰ 86 - 26 - 34 =

⑱ 77 - 25 - 35 =

세 수의 덧셈과 뺄셈

공부한 날	월 일
점수	/18

계산해 보세요.

① 15 + 42 + 25 =

② 22 - 16 + 18 =

③ 45 - 27 + 15 =

④ 74 - 35 + 16 =

⑤ 11 + 32 + 29 =

⑥ 44 - 19 + 26 =

⑦ 77 - 58 - 17 =

⑧ 44 - 18 - 14 =

⑨ 56 + 23 - 26 =

⑩ 37 - 15 - 17 =

⑪ 48 + 32 - 28 =

⑫ 89 - 21 - 59 =

⑬ 140 - 55 - 15 =

⑭ 122 - 42 - 48 =

⑮ 85 - 16 - 24 =

⑯ 74 - 34 - 26 =

⑰ 65 - 12 - 38 =

⑱ 130 - 59 - 21 =

4일 ❷

세 수의 덧셈과 뺄셈

공부한 날	월 일
점수	/18

계산해 보세요.

① 52 + 23 + 28 =

② 36 - 27 + 14 =

③ 54 + 16 - 57 =

④ 32 - 15 + 18 =

⑤ 64 + 19 + 16 =

⑥ 68 - 36 + 12 =

⑦ 121 - 55 - 41 =

⑧ 125 - 49 - 45 =

⑨ 37 + 15 - 17 =

⑩ 88 - 25 - 28 =

⑪ 56 + 48 - 36 =

⑫ 46 - 16 - 29 =

⑬ 87 - 33 - 37 =

⑭ 56 - 24 - 16 =

⑮ 62 - 19 - 31 =

⑯ 91 - 75 - 15 =

⑰ 37 - 12 - 18 =

⑱ 44 - 16 - 24 =

세 수의 덧셈과 뺄셈

공부한 날	월 일
점수	/18

계산해 보세요.

① 56 + 38 + 14 =

② 63 - 26 + 27 =

③ 28 - 19 + 22 =

④ 57 - 28 + 63 =

⑤ 79 + 13 + 11 =

⑥ 96 - 48 + 14 =

⑦ 78 - 31 - 18 =

⑧ 81 - 29 - 51 =

⑨ 69 + 38 - 49 =

⑩ 65 - 18 - 45 =

⑪ 56 + 76 - 46 =

⑫ 47 - 29 - 17 =

⑬ 130 - 49 - 21 =

⑭ 84 - 36 - 34 =

⑮ 73 - 25 - 35 =

⑯ 95 - 62 - 28 =

⑰ 91 - 13 - 47 =

⑱ 101 - 58 - 22 =

세 수의 덧셈과 뺄셈

공부한 날	월 일
점수	/18

계산해 보세요.

① 36 + 22 + 44 =

② 74 - 18 + 16 =

③ 41 + 19 - 30 =

④ 50 - 27 + 30 =

⑤ 62 + 25 + 18 =

⑥ 49 - 34 + 31 =

⑦ 96 - 66 - 16 =

⑧ 58 - 19 - 28 =

⑨ 91 + 23 - 41 =

⑩ 51 - 23 - 11 =

⑪ 60 + 19 - 40 =

⑫ 85 - 62 - 15 =

⑬ 99 - 33 - 57 =

⑭ 81 - 19 - 51 =

⑮ 33 - 11 - 19 =

⑯ 71 - 25 - 35 =

⑰ 58 - 16 - 24 =

⑱ 88 - 12 - 38 =

MEMO

총괄 테스트

11 빈칸에 알맞은 수를 써넣으세요.

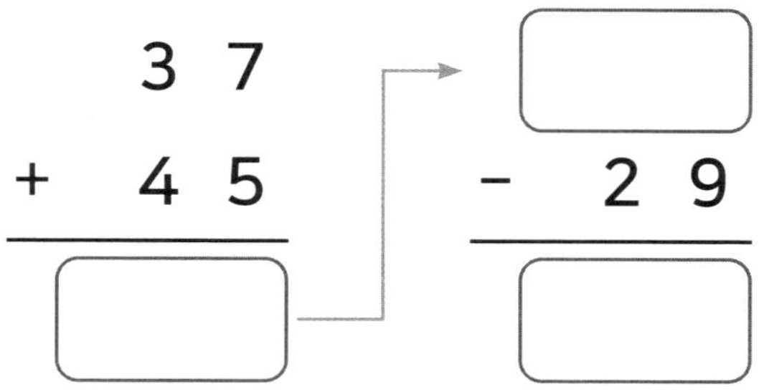

12 빈칸에 알맞은 수를 써넣으세요.

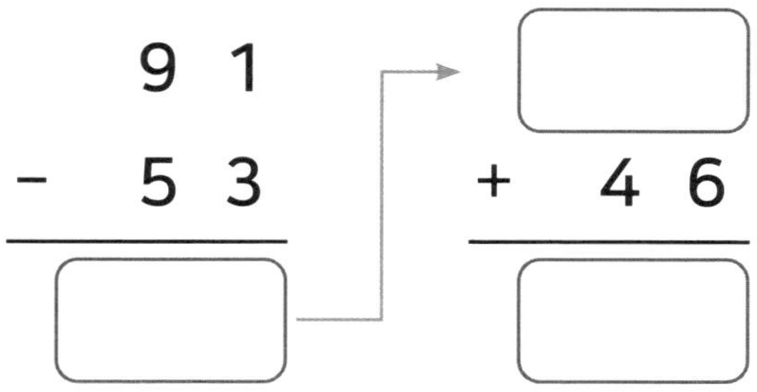

13 계산해 보세요.

① 49 + 66 − 45 =　　② 43 + 79 − 24 =

③ 96 − 56 + 97 =　　④ 113 − 75 + 49 =

14 계산해 보세요.

① 56 + 64 − 41 =　　② 37 + 48 − 26 =

③ 46 − 28 + 57 =　　④ 100 − 25 + 69 =

15 잘못 계산한 것을 찾아 바르게 고쳐 보세요.

49 + 36 − 35 = 50

103 − 49 + 27 = 81

72 − 35 + 53 = 100

16 빈칸에 알맞은 수를 써넣으세요.

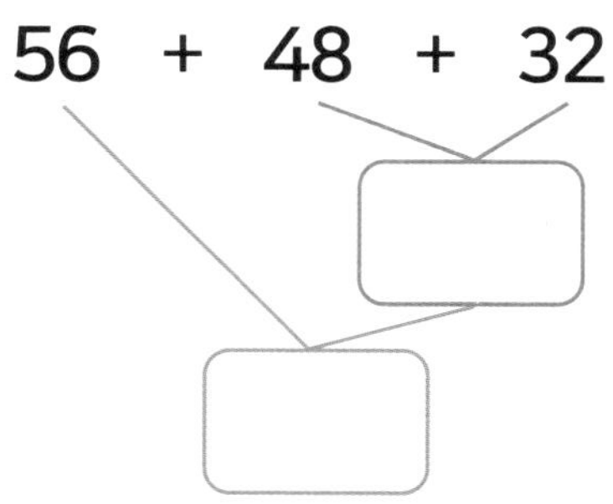

17 빈칸에 알맞은 수를 써넣으세요.

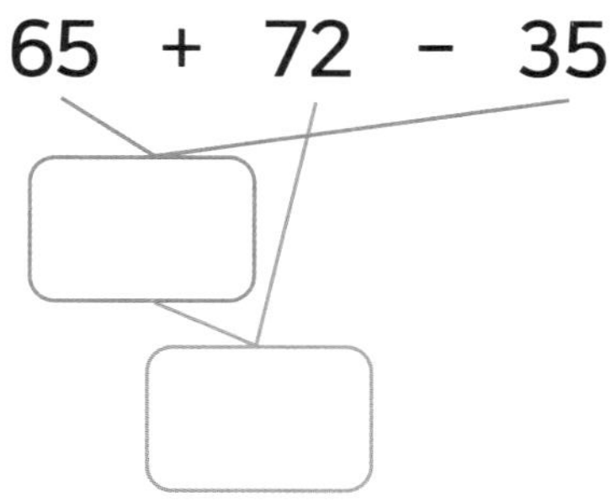

18 빼는 두 수를 더해서 한꺼번에 뺄셈을 하려고 합니다. 빈칸에 알맞은 수를 써넣으세요.

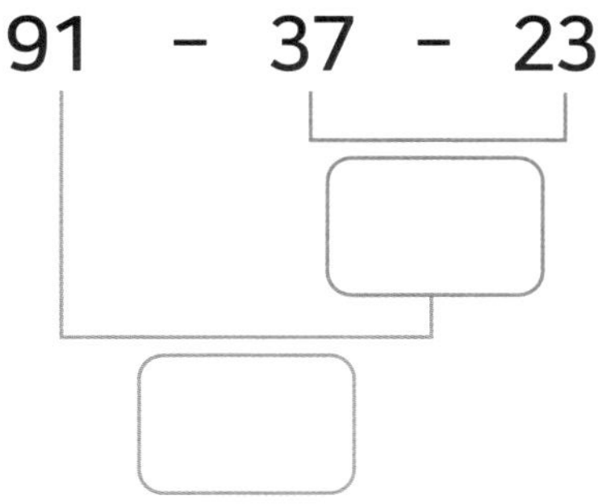

19 계산해 보세요.

① 57 + 43 − 27 =　　② 99 − 36 − 14 =

③ 23 + 19 + 47 =　　④ 48 + 57 − 38 =

20 계산해 보세요.

① 67 + 11 + 29 =　　② 73 + 58 − 43 =

③ 89 − 28 − 32 =　　④ 55 + 17 + 15 =

총괄 테스트

이름 점수

01 빈칸에 알맞은 수를 써넣으세요.

$$\begin{array}{r} 37 \\ +\ 58 \\ \hline \square \end{array} \rightarrow \begin{array}{r} \square \\ +\ 42 \\ \hline \square \end{array}$$

02 빈칸에 알맞은 수를 써넣으세요.

27 + 54 + 49

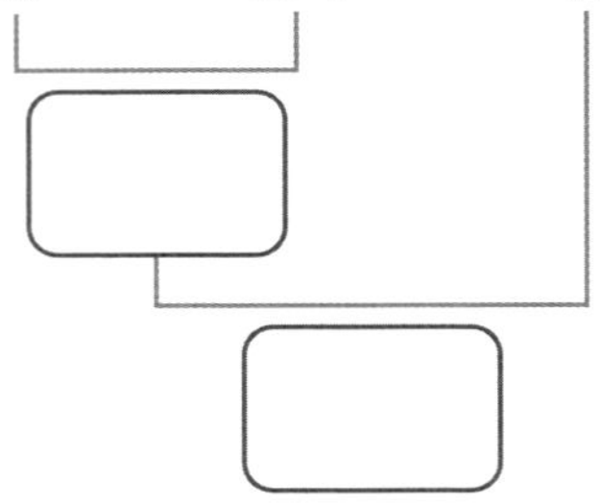

03 계산해 보세요.

① 48 + 39 + 21 =

② 25 + 47 + 59 =

③ 34 + 22 + 64 =

④ 26 + 47 + 69 =

04 세로셈을 계산하세요.

① $\begin{array}{r} 73 \\ 27 \\ +\ 35 \\ \hline \square \end{array}$

② $\begin{array}{r} 27 \\ 52 \\ +\ 49 \\ \hline \square \end{array}$

05 세로셈을 계산하세요.

① $\begin{array}{r} 51 \\ 78 \\ +\ 13 \\ \hline \end{array}$

② $\begin{array}{r} 29 \\ 14 \\ +\ 47 \\ \hline \end{array}$

06 빈칸에 알맞은 수를 써넣으세요.

$$\begin{array}{r} 103 \\ -\ 38 \\ \hline \square \end{array} \rightarrow \begin{array}{r} \square \\ -\ 39 \\ \hline \square \end{array}$$

07 빈칸에 알맞은 수를 써넣으세요.

138 - 56 - 49

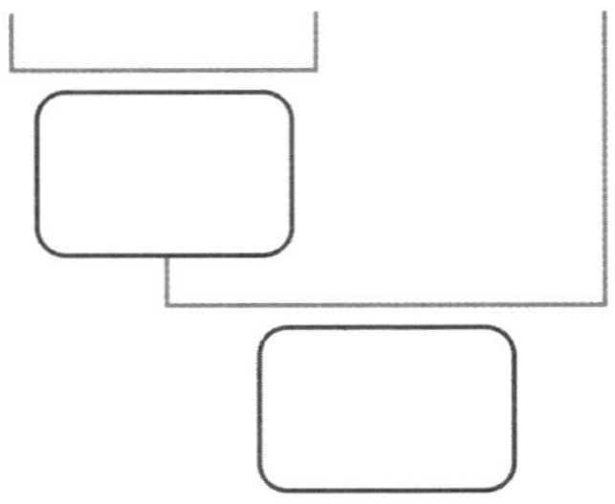

08 계산해 보세요.

① 158 - 67 - 43 =

② 90 - 38 - 11 =

③ 120 - 54 - 37 =

④ 100 - 26 - 39 =

09 계산 결과에 알맞게 빈 곳에 들어갈 수 카드를 골라 써넣으세요.

34 36 35

98 - □ - □ = 28

10 사다리를 타면서 계산하여 빈 곳에 알맞은 수를 써넣으세요.

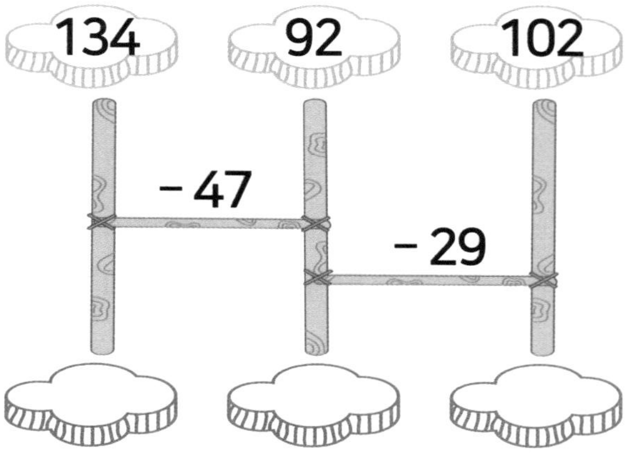

1000math.com

홈페이지

- 천종현수학연구소 소개 및 학습 자료 공유
- 출판 교재, 연구소 굿즈 구입

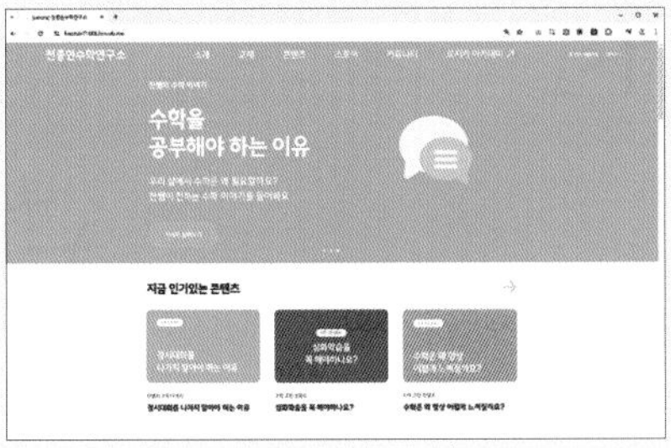

cafe.naver.com/maths1000

네이버카페

- 다양한 이벤트 및 '천쌤수학학습단' 진행
- 학습 상담 게시판 운영

https://www.instagram.com/
1000maths

인스타그램

- 수학고민상담소 '천쌤에게 물어보셈' 릴스 보기
- 가장 빠르게 만나는 연구소 소식 및 이벤트

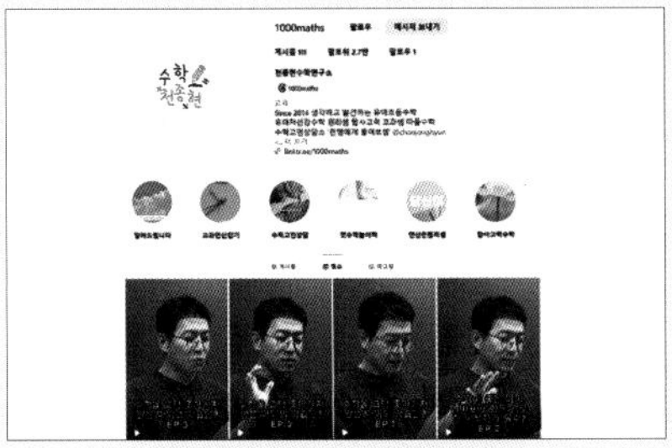

https://www.youtube.com/
@1000math4U

유튜브

- 인스타 라이브방송 '천쌤에게 물어보셈' 다시 보기
- 고민 상담 사례 및 수학교육 기획 콘텐츠

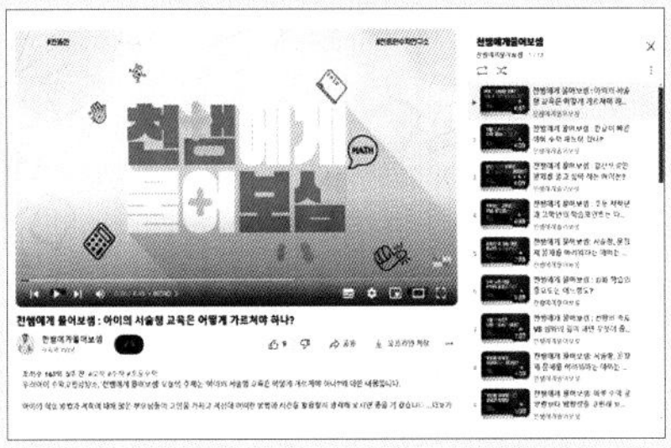

천종현수학연구소는
유아 초등 수학 교재와 **콘텐츠**를 꾸준히 **개발**하고 있습니다. 네이버에 '**천종현수학연구소**'를 검색하시거나 **인스타그램**, **유튜브** 등 다양한 채널을 통해서도 **연산**과 **사고력 수학**, **교과 심화 학습**에 대한 **노하우**와 **정보**를 다양하게 제공합니다. 지금 바로 만나보세요.

SINCE **2014**

천종현수학연구소 출판 교재

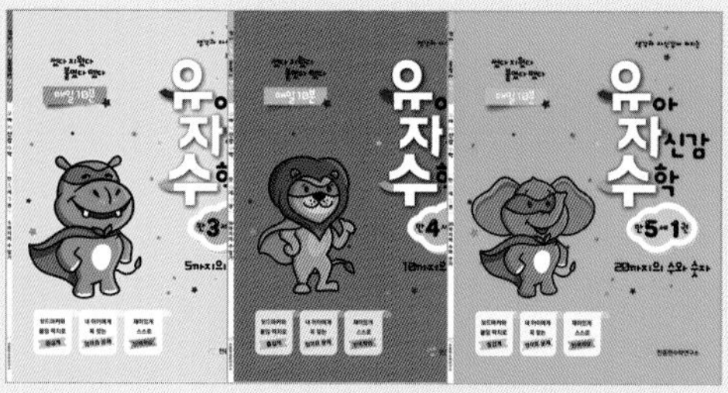

01
유아 자신감 수학

썼다 지웠다 붙였다 뗐다
우리 아이의 첫 수학 교재

02
TOP 사고력 수학

실력도 탑! 재미도 탑!
사고력 수학의 으뜸

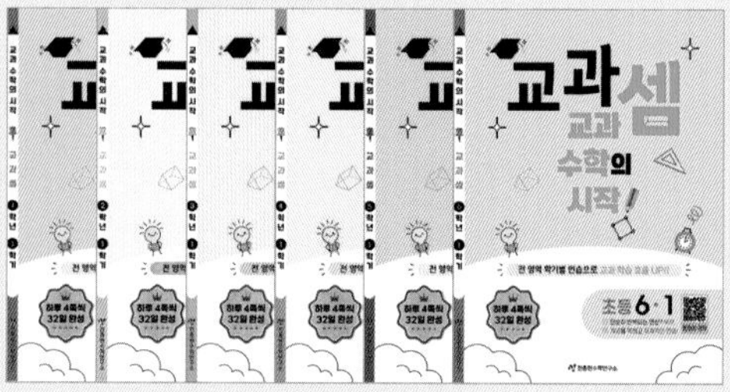

03
교과셈

사칙연산+도형, 측정, 경우의 수까지
반복 학습이 필요한 초등 연산 완성

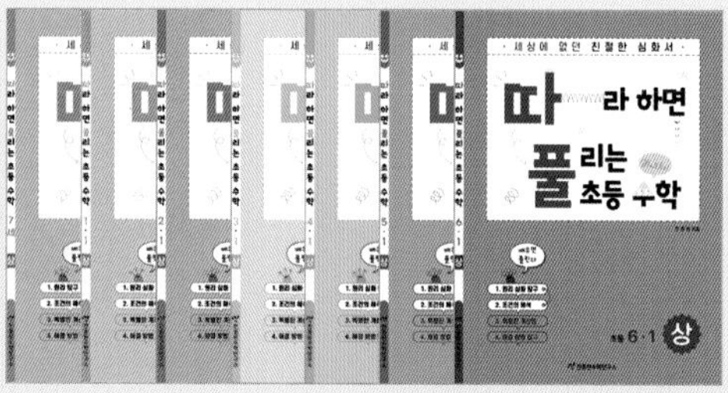

04
따풀 수학

다양한 개념과 해결 방법을 배우는
배움이 있는 학습지

05
초등 사고력 수학의 원리/전략

진정한 수학 실력은 원리의 이해와 문제 해결 전략에서
재미있게 읽는 17년 초등 사고력 수학의 노하우!!

교과 과정
완벽 대비
★★★★★

초등 | 수학 전문가가
만든 연산 교재

원리셈

천종현 지음

정답

2학년 3

세 수의 덧셈과 뺄셈

천종현수학연구소

10쪽

① 71
71 127

② 59
59 70

③ 75
75 112

④ 84
84 147

⑤ 47
47 81

⑥ 80
80 133

⑦ 86
86 114

⑧ 64
64 86

11쪽

① 63
63 108

② 92
92 119

③ 86
86 102

④ 80
80 137

⑤ 98
98 176

⑥ 99
99 156

⑦ 86
86 111

⑧ 71
71 122

12쪽

① 41 77 ② 79 152
③ 72 99 ④ 57 112
⑤ 87 149 ⑥ 68 87
⑦ 59 106 ⑧ 84 129
⑨ 79 112 ⑩ 34 77

13쪽

① 77
124

② 67
132

③ 81
97

④ 71
99

⑤ 54
122

⑥ 95
147

⑦ 81
120

⑧ 86
113

14쪽

① 94 ② 108
③ 97 ④ 103
⑤ 140 ⑥ 104
⑦ 136 ⑧ 104
⑨ 121 ⑩ 163
⑪ 67 ⑫ 134
⑬ 120 ⑭ 95
⑮ 122 ⑯ 130

15쪽

① 116 ② 110
③ 122 ④ 112 ⑤ 166
⑥ 94 ⑦ 113 ⑧ 104
⑨ 107 ⑩ 109 ⑪ 127

16쪽

① 123 ② 88 ③ 124 ④ 121
⑤ 172 ⑥ 103 ⑦ 155 ⑧ 128
⑨ 94 ⑩ 156 ⑪ 131 ⑫ 129

17쪽

① 132 ② 68 ③ 136 ④ 109
⑤ 90 ⑥ 112 ⑦ 80 ⑧ 120
⑨ 134 ⑩ 181 ⑪ 74 ⑫ 184
⑬ 94 ⑭ 190 ⑮ 86 ⑯ 168

18쪽

① 136 ② 88 ③ 78 ④ 123
⑤ 65 ⑥ 155 ⑦ 160 ⑧ 142
⑨ 153 ⑩ 78 ⑪ 83 ⑫ 98
⑬ 79 ⑭ 152 ⑮ 143 ⑯ 135

19쪽

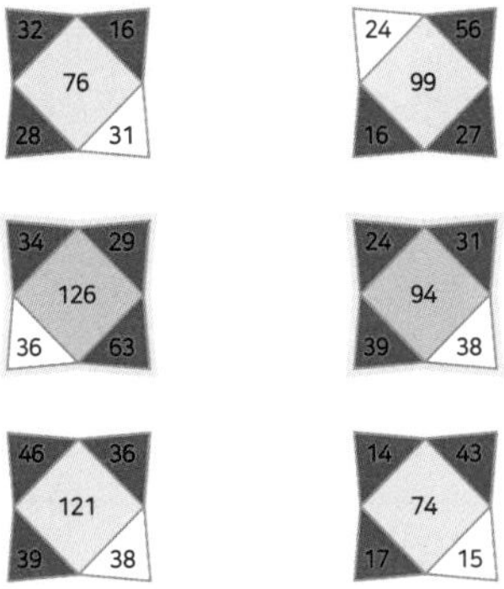

20쪽

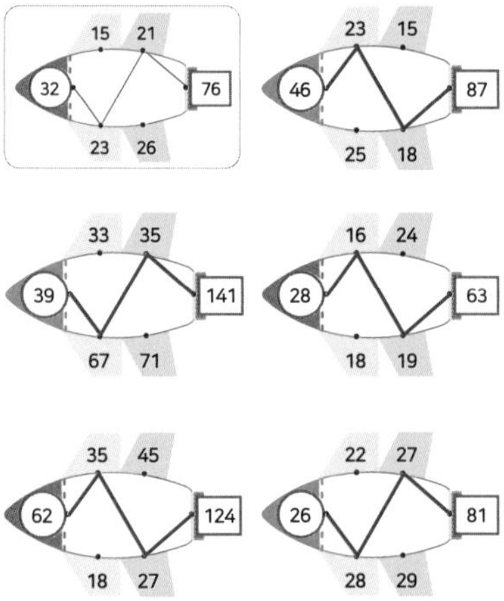

21쪽

① 32+24+45=101, 101

22쪽

① 34+26+45=105, 105

② 52+27+22=101, 101

23쪽

① 39+42+28=109, 109

② 19+47+31=97, 97

③ 35+27+16=78, 78

24쪽

① 48+55+18=121, 121

② 12+35+68=115, 115

③ 69+41+38=148, 148

2주차 - 세 수의 뺄셈

26쪽

① 88
88 75

② 41
41 15

③ 67
67 23

④ 69
69 51

⑤ 85
85 59

⑥ 71
71 36

⑦ 75
75 18

⑧ 53
53 19

27쪽

① 87
87 22

② 75
75 38

③ 53
53 17

④ 73
73 26

⑤ 86
86 38

⑥ 35
35 8

⑦ 30
30 6

⑧ 53
53 12

28쪽

① 71 88 ② 21 64

③ 48 59 ④ 15 78

⑤ 18 65 ⑥ 32 68

⑦ 35 53 ⑧ 23 79

⑨ 42 99 ⑩ 53 78

29쪽

① 44
17

② 74
40

③ 59
25

④ 49
34

⑤ 76
28

⑥ 100
23

⑦ 81
22

⑧ 69
38

30쪽

① 49 ② 50

③ 36 ④ 23

⑤ 23 ⑥ 64

⑦ 38 ⑧ 49

⑨ 23 ⑩ 41

⑪ 30 ⑫ 51

⑬ 38 ⑭ 22

⑮ 18 ⑯ 42

31쪽

① 47 ② 44

③ 47 ④ 63

⑤ 39 ⑥ 25

⑦ 26 ⑧ 35

⑨ 35 ⑩ 53

32쪽

① 35 32 97

② 48 75 52

③ 34 47 101

④ 45 53 59

33쪽

① 45 34 30

② 51 22 52

③ 24 58 28

④ 37 37 41

34쪽

① 42, 31 ② 14, 28

③ 68, 17 ④ 16, 18

⑤ 36, 34 ⑥ 18, 20

⑦ 49, 29 ⑧ 19, 46

두 수의 순서는 바뀔 수 있습니다.

35쪽

	59	26
36	39	27

36쪽

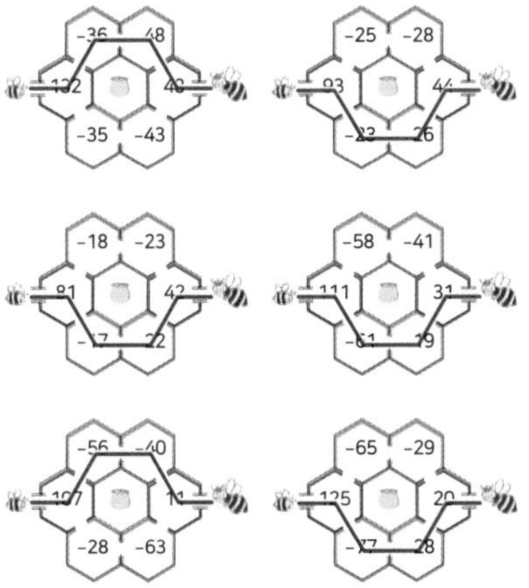

37쪽

① 75 - 17 - 21 = 37, 37

38쪽

① 84 - 29 - 38 = 17, 17

② 116 - 58 - 26 = 32, 32

39쪽

① 84 - 26 - 35 = 23 , 23

② 94 - 42 - 16 = 36 , 36

③ 51 - 11 - 12 = 28 , 28

40쪽

① 108 - 32 - 29 = 47 , 47

② 101 - 34 - 32 = 35 , 35

③ 121 - 46 - 52 = 23 , 23

3주차 - 세 수의 덧셈과 뺄셈

42쪽

① 61
61 29

② 82
82 63

③ 115
115 48

④ 79
79 38

⑤ 107
107 78

⑥ 84
84 27

⑦ 44
44 29

⑧ 131
131 57

43쪽

① 100
52

② 53
29

③ 101
73

④ 95
58

⑤ 60
27

⑥ 126
60

⑦ 134
75

⑧ 75
20

44쪽

① 36 ② 36

③ 60 ④ 49

⑤ 32 ⑥ 93

⑦ 29 ⑧ 18

⑨ 29 ⑩ 88

⑪ 79 ⑫ 20

⑬ 48 ⑭ 91

45쪽

① 22
22 46

② 68
68 123

③ 72
72 119

④ 15
15 63

⑤ 28
28 64

⑥ 69
69 135

⑦ 47
47 89

⑧ 18
18 87

46쪽

① 89, 173 ② 59, 77

③ 25, 117 ④ 29, 43

⑤ 64, 88 ⑥ 47, 130

⑦ 17, 56 ⑧ 23, 92

47쪽

① 73 ② 121

③ 36 ④ 88

⑤ 154 ⑥ 48

⑦ 94 ⑧ 125

⑨ 77 ⑩ 119

⑪ 80 ⑫ 66

⑬ 95 ⑭ 67

48쪽

① 28 ② 92

③ 67 ④ 101

⑤ 95 ⑥ 70

⑦ 119 ⑧ 37

⑨ 20 ⑩ 141

49쪽

① 7 ② 60

③ 89 ④ 37

⑤ 58 ⑥ 15

⑦ 19 ⑧ 55

50쪽

64 + 27 - 28 = 63
52 - 37 + 26 = ~~51~~ 41
132 - 65 + 38 = 105

74 + 55 - 61 = 68
29 + 33 - 16 = 46
99 - 35 + 27 = ~~81~~ 91

94 + 18 - 85 = 27
64 + 37 - 19 = ~~72~~ 82
83 - 62 + 55 = 76

53 + 26 - 29 = ~~60~~ 50
108 - 59 + 22 = 71
62 - 45 + 73 = 90

51쪽

59 51
96 68 12

52쪽

88 47
106 56 65

53쪽

① 35 - 14 + 19 = 40, 40

54쪽

① 64 - 32 + 23 = 55, 55

② 35 - 17 + 49 = 67, 67

③ 68 - 51 + 72 = 89, 89

55쪽

① 43 + 26 - 58 = 11, 11

② 73 - 34 + 16 = 55, 55

③ 38 + 27 - 18 = 47, 47

56쪽

① 35 + 17 - 24 = 28, 28

② 16 + 37 - 19 = 34, 34

③ 65 + 43 - 28 = 80, 80

4주차 - 도전! 계산왕

58쪽

① 16 ② 18

③ 84 ④ 67

⑤ 43 ⑥ 49

⑦ 63 ⑧ 46

⑨ 111 ⑩ 122 ⑪ 99 ⑫ 122

⑬ 86 ⑭ 119 ⑮ 103 ⑯ 74

59쪽

① 51 ② 23
③ 86 ④ 24
⑤ 22 ⑥ 35
⑦ 101 ⑧ 55
⑨ 116 ⑩ 102 ⑪ 96 ⑫ 101
⑬ 125 ⑭ 111 ⑮ 88 ⑯ 86

60쪽

① 44 ② 27
③ 59 ④ 97
⑤ 16 ⑥ 11
⑦ 70 ⑧ 34
⑨ 115 ⑩ 73 ⑪ 91 ⑫ 124
⑬ 134 ⑭ 92 ⑮ 102 ⑯ 94

61쪽

① 21 ② 17
③ 83 ④ 52
⑤ 3 ⑥ 29
⑦ 31 ⑧ 26
⑨ 80 ⑩ 111 ⑪ 118 ⑫ 104
⑬ 117 ⑭ 129 ⑮ 136 ⑯ 96

62쪽

① 14 ② 34
③ 37 ④ 82
⑤ 20 ⑥ 35
⑦ 31 ⑧ 58
⑨ 111 ⑩ 77 ⑪ 103 ⑫ 106
⑬ 112 ⑭ 105 ⑮ 116 ⑯ 80

63쪽

① 23 ② 31
③ 82 ④ 26
⑤ 20 ⑥ 64
⑦ 64 ⑧ 35
⑨ 106 ⑩ 92 ⑪ 88 ⑫ 90
⑬ 115 ⑭ 95 ⑮ 105 ⑯ 92

64쪽

① 16 ② 53
③ 27 ④ 18
⑤ 48 ⑥ 38
⑦ 12 ⑧ 21
⑨ 103 ⑩ 129 ⑪ 96 ⑫ 107
⑬ 117 ⑭ 99 ⑮ 87 ⑯ 99

65쪽

① 12 ② 83
③ 38 ④ 53
⑤ 76 ⑥ 8
⑦ 32 ⑧ 44
⑨ 83 ⑩ 93 ⑪ 95 ⑫ 92
⑬ 105 ⑭ 126 ⑮ 132 ⑯ 114

66쪽

① 98 ② 58
③ 67 ④ 95
⑤ 54 ⑥ 70
⑦ 78 ⑧ 71
⑨ 52 ⑩ 108 ⑪ 107 ⑫ 117
⑬ 83 ⑭ 108 ⑮ 102 ⑯ 101

67쪽

① 50 ② 7
③ 40 ④ 10
⑤ 61 ⑥ 74
⑦ 54 ⑧ 66
⑨ 112 ⑩ 78 ⑪ 113 ⑫ 100
⑬ 61 ⑭ 47 ⑮ 112 ⑯ 137

5주차 - 순서 바꾸어 계산하기

70쪽

① 60, 117 ② 80, 34
③ 40, 72 ④ 50, 33
⑤ 60, 118 ⑥ 90, 62
⑦ 90, 132 ⑧ 90, 46

71쪽

① 104 ② 95
③ 54 ④ 81
⑤ 97 ⑥ 71
⑦ 83 ⑧ 67
⑨ 83 ⑩ 41
⑪ 44 ⑫ 59
⑬ 57 ⑭ 69

72쪽

① 19 ② 56
③ 97 ④ 53
⑤ 53 ⑥ 35
⑦ 57 ⑧ 63

73쪽

① 40, 14 ② 40, 94
③ 50, 34 ④ 10, 83
⑤ 60, 23 ⑥ 60, 139
⑦ 30, 12 ⑧ 20, 113

74쪽

① 53 ② 44
③ 36 ④ 45
⑤ 93 ⑥ 43
⑦ 51 ⑧ 19
⑨ 56 ⑩ 37
⑪ 46 ⑫ 32
⑬ 39 ⑭ 25

75쪽

① 77 ② 54
③ 44 ④ 65
⑤ 73 ⑥ 91
⑦ 41 ⑧ 104
⑨ 42 ⑩ 93

76쪽

① 40, 24 ② 60, 25
③ 60, 54 ④ 50, 25
⑤ 50, 22 ⑥ 80, 28
⑦ 80, 44 ⑧ 50, 41

77쪽

① 71 ② 45
③ 33 ④ 29
⑤ 29 ⑥ 60
⑦ 55 ⑧ 28
⑨ 43 ⑩ 48
⑪ 27 ⑫ 38
⑬ 27 ⑭ 39

78쪽

① 15 ② 44
③ 49 ④ 85
⑤ 41 ⑥ 45
⑦ 14 ⑧ 43
⑨ 62 ⑩ 38

79쪽

① 33 ② 23
③ 79 ④ 67
⑤ 32 ⑥ 61
⑦ 74 ⑧ 44
⑨ 44 ⑩ 69
⑪ 66 ⑫ 61
⑬ 49 ⑭ 62
⑮ 53 ⑯ 62

80쪽

① 37 ② 19
③ 67 ④ 47
⑤ 43 ⑥ 75
⑦ 36 ⑧ 43
⑨ 23 ⑩ 45
⑪ 52 ⑫ 77
⑬ 24 ⑭ 98
⑮ 32 ⑯ 39

81쪽

① 57 ② 89
③ 24 ④ 18
⑤ 17 ⑥ 78
⑦ 45 ⑧ 63

82쪽

① 45
② 1 ③ 35
④ 34 ⑤ 21

83쪽

① 15 ② 25
③ 8 ④ 24
⑤ 5 ⑥ 23

84쪽

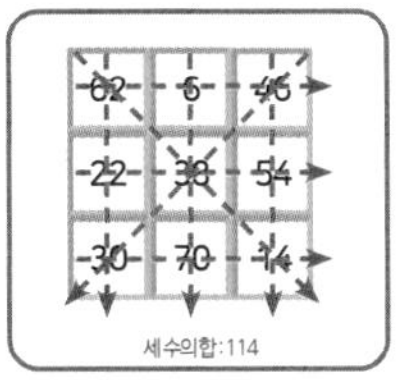

25	20	45
50	30	10
15	40	35

43	50	15
8	36	64
57	22	29

31	11	39
35	27	19
15	43	23

27	57	15
21	33	45
51	9	39

39	36	51
54	42	30
33	48	45

6주차 - 도전! 계산왕

86쪽

① 112 ② 34
③ 35 ④ 31
⑤ 117 ⑥ 81
⑦ 9 ⑧ 28
⑨ 42 ⑩ 25
⑪ 43 ⑫ 22
⑬ 81 ⑭ 28
⑮ 43 ⑯ 5
⑰ 37 ⑱ 56

87쪽

① 114 ② 64
③ 3 ④ 63
⑤ 106 ⑥ 90
⑦ 13 ⑧ 1
⑨ 82 ⑩ 23
⑪ 73 ⑫ 22
⑬ 50 ⑭ 26
⑮ 13 ⑯ 7
⑰ 53 ⑱ 60

88쪽

① 112 ② 68
③ 38 ④ 68
⑤ 111 ⑥ 85
⑦ 49 ⑧ 4
⑨ 72 ⑩ 3
⑪ 33 ⑫ 12
⑬ 15 ⑭ 15
⑮ 44 ⑯ 2
⑰ 18 ⑱ 57

89쪽

① 111 ② 24
③ 44 ④ 72
⑤ 109 ⑥ 39
⑦ 38 ⑧ 1
⑨ 76 ⑩ 22
⑪ 61 ⑫ 28
⑬ 51 ⑭ 15
⑮ 17 ⑯ 34
⑰ 17 ⑱ 30

90쪽

① 102 ② 77
③ 25 ④ 54
⑤ 105 ⑥ 54
⑦ 25 ⑧ 17
⑨ 52 ⑩ 12
⑪ 71 ⑫ 14
⑬ 62 ⑭ 22
⑮ 10 ⑯ 14
⑰ 14 ⑱ 34

91쪽

① 101 ② 54
③ 35 ④ 63
⑤ 85 ⑥ 21
⑦ 19 ⑧ 32
⑨ 86 ⑩ 17
⑪ 94 ⑫ 11
⑬ 40 ⑭ 4
⑮ 43 ⑯ 14
⑰ 26 ⑱ 17

92쪽

① 82 ② 24
③ 33 ④ 55
⑤ 72 ⑥ 51
⑦ 2 ⑧ 12
⑨ 53 ⑩ 5
⑪ 52 ⑫ 9
⑬ 70 ⑭ 32
⑮ 45 ⑯ 14
⑰ 15 ⑱ 50

93쪽

① 103 ② 23
③ 13 ④ 35
⑤ 99 ⑥ 44
⑦ 25 ⑧ 31
⑨ 35 ⑩ 35
⑪ 68 ⑫ 1
⑬ 17 ⑭ 16
⑮ 12 ⑯ 1
⑰ 7 ⑱ 4

94쪽

① 108 ② 64
③ 31 ④ 92
⑤ 103 ⑥ 62
⑦ 29 ⑧ 1
⑨ 58 ⑩ 2
⑪ 86 ⑫ 1
⑬ 60 ⑭ 14
⑮ 13 ⑯ 5
⑰ 31 ⑱ 21

95쪽

① 102 ② 72
③ 30 ④ 53
⑤ 105 ⑥ 46
⑦ 14 ⑧ 11
⑨ 73 ⑩ 17
⑪ 39 ⑫ 8
⑬ 9 ⑭ 11
⑮ 3 ⑯ 11
⑰ 18 ⑱ 38

총괄 테스트 정답

총괄 테스트

이름 점수

01 빈칸에 알맞은 수를 써넣으세요.

37 + 58 = 95 → 95 + 42 = 137

02 빈칸에 알맞은 수를 써넣으세요.

27 + 54 + 49: 81, 130

03 계산해 보세요.

① 48 + 39 + 21 = 108 ② 25 + 47 + 59 = 131

③ 34 + 22 + 64 = 120 ④ 26 + 47 + 69 = 142

04 세로셈을 계산하세요.

① 73 + 27 + 35 = 135 ② 27 + 52 + 49 = 128

05 세로셈을 계산하세요.

① 51 + 78 + 13 = 142 ② 29 + 14 + 47 = 90

06 빈칸에 알맞은 수를 써넣으세요.

103 − 38 = 65 → 65 − 39 = 26

07 빈칸에 알맞은 수를 써넣으세요.

138 − 56 − 49: 82, 33

08 계산해 보세요.

① 158 − 67 − 43 = 48 ② 90 − 38 − 11 = 41

③ 120 − 54 − 37 = 29 ④ 100 − 26 − 39 = 35

09 계산 결과에 알맞게 빈 곳에 들어갈 수 카드를 골라 써넣으세요.

34 36 35

98 − 34 − 36 = 28

두 수의 순서는 바뀔 수 있습니다.

10 사다리를 타면서 계산하여 빈 곳에 알맞은 수를 써넣으세요.

134 92 102

−47 −29

45 73 58

11 빈칸에 알맞은 수를 써넣으세요.

37 + 45 = 82 → 82 − 29 = 53

12 빈칸에 알맞은 수를 써넣으세요.

91 − 53 = 38 → 38 + 46 = 84

13 계산해 보세요.

① 49 + 66 − 45 = 70 ② 43 + 79 − 24 = 98

③ 96 − 56 + 97 = 137 ④ 113 − 75 + 49 = 87

14 계산해 보세요.

① 56 + 64 − 41 = 79 ② 37 + 48 − 26 = 59

③ 46 − 28 + 57 = 75 ④ 100 − 25 + 69 = 144

15 잘못 계산한 것을 찾아 바르게 고쳐 보세요.

49 + 36 − 35 = 50

103 − 49 + 27 = 81

72 − 35 + 53 = ~~100~~ 90

16 빈칸에 알맞은 수를 써넣으세요.

56 + 48 + 32: 80, 136

17 빈칸에 알맞은 수를 써넣으세요.

65 + 72 − 35: 30, 102

18 빼는 두 수를 더해서 한꺼번에 뺄셈을 하려고 합니다. 빈칸에 알맞은 수를 써넣으세요.

91 − 37 − 23: 60, 31

19 계산해 보세요.

① 57 + 43 − 27 = 73 ② 99 − 36 − 14 = 49

③ 23 + 19 + 47 = 89 ④ 48 + 57 − 38 = 67

20 계산해 보세요.

① 67 + 11 + 29 = 107 ② 73 + 58 − 43 = 88

③ 89 − 28 − 32 = 29 ④ 55 + 17 + 15 = 87

초등 | 수학 전문가가 만든 연산 교재

원리셈

원리 이해

다양한 계산 방법

충분한 연습

성취도 확인

천종현수학연구소의 교재 흐름도

	4세	5세	6세	7세	초 1
출판 교재					
유자수 · 탑사고력	 만 3세	 만 4세	 만 5세	 K단계	 P단계
원리셈		 5, 6세	 6, 7세	 7, 8세	 초등 1
교과셈					 초등 1
따풀				 7세	 초등 1
학원 교재					
매직 · 로지카			 K단계	 P단계	 A단계
풀업				 P단계	 A단계